Anneli Billina

Deutsch üben

Lesen & Schreiben B1

Hueber Verlag

| 4. | 3. | 2. | | Die letzten Ziffern |
| 2023 | 22 | 21 | 20 | 19 | bezeichnen Zahl und Jahr des Druckes. |

Alle Drucke dieser Auflage können, da unverändert,
nebeneinander benutzt werden.
1. Auflage
© 2018 Hueber Verlag GmbH & Co. KG, München, Deutschland
Redaktion: Hans Hillreiner, Hueber Verlag, München
Umschlaggestaltung: Sieveking · Agentur für Kommunikation, München
Umschlagfoto: © fotolia/Rawpixel Ltd.
Zeichnungen: Irmtraud Guhe, München
Layout und Satz: Sieveking · Agentur für Kommunikation, München
Druck und Bindung: Firmengruppe APPL, aprinta druck GmbH, Wemding
Printed in Germany
ISBN 978–3–19–577493–2

Inhalt

Vorwort

Liebe Lernerinnen, liebe Lerner,

Deutsch üben **Lesen & Schreiben B1** ist ein Übungsheft für fortgeschrittene Anfänger mit Vorkenntnissen auf Niveau A2 zum selbstständigen Üben und Wiederholen.

Es eignet sich zur Vorbereitung auf das tägliche Leben in deutschsprachigen Ländern bzw. zur Aufrechterhaltung und Vertiefung vorhandener Sprachkenntnisse.
Mit **Lesen & Schreiben B1** können Sie Kurspausen überbrücken oder sich auf die Prüfungen der Niveaustufe B1 des *Gemeinsamen Europäischen Referenzrahmens (Zertifikat B1, Zertifikat Deutsch)* vorbereiten.

Deutsch üben **Lesen & Schreiben B1** orientiert sich an den gängigen B1-Lehrwerken (z. B. *Schritte*) und trainiert die Fertigkeiten Lesen und Schreiben auf dem Niveau B1. Die abwechslungsreichen Leseverständnis- und Schreibübungen behandeln alle für die Bewältigung des Alltags wichtigen Themen und den entsprechenden Wortschatz.

Die authentisch gestalteten Texte behandeln viele wichtige Textsorten, die Ihnen in Alltag und Beruf begegnen. Abwechslungsreiche Übungen trainieren Ihr Leseverstehen und geben Ihnen mehr Sicherheit im schriftlichen Ausdruck.

Zu allen Übungen finden Sie im Anhang einen ausführlichen, übersichtlichen Lösungsschlüssel.

Viel Spaß und Erfolg!

Autorin und Verlag

A Zwischenmenschliches

A1 Auf der Suche

1 a) Lesen Sie die Kontakt-Anzeigen und ordnen Sie zu: Was wird gesucht?

Wer sucht ...

eine Beziehung?   *1.* , ____

eine Reisebegleitung?   ____ , ____

eine/-n Partner/-in für Freizeitaktivitäten?   ____ , ____

Hilfe bei der Betreuung von Kindern/Tieren?   ____ , ____

1. Naturliebende Tierfreundin, Mitte dreißig, möchte ihren drei Katzen, zwei Hunden und zwei Pferden wieder ein richtiges Zuhause bieten. Du bist zwischen 30 und 50, findest Vierbeiner auch meist liebenswerter als Zweibeiner und bist auf der Suche nach einer zuverlässigen und fröhlichen Frau an deiner Seite? Dann schreib mir!

2. Tee in Tibet, Kaffee in Katmandu, Cocktails in Cordoba – doch zu zweit schmeckt alles besser! Globetrotter (28) sucht Begleitung auf seinen vielen Reisen, ohne weitere Verpflichtungen. Du bist eine sportliche, neugierige Frau unter 30, buchst nicht nur 5-Sterne-Hotels und lässt dich gerne auf Land und Leute ein. Und du hast einen Job, der auch mal vier Wochen auf dich verzichten kann!

3. Shayenne, Araberstute, hat zu wenig Bewegung! Suche erfahrenen Reiter, der zwei- bis dreimal die Woche mit ihr eine Trainingseinheit absolviert. Zuverlässigkeit und liebevoller Umgang mit dem Pferd sind ein Muss!

4. Steile Karriere, Porsche, Weltreise und jedes Wochenende drei Einladungen – und doch fehlt etwas! Du bist 27/28 Jahre alt, schlank, hübsch, hast lange blonde Haare, einen Universitätsabschluss und stammst aus einem Elternhaus mit Niveau. Ein erfolgreicher, gut aussehender und wohlhabender Partner wartet auf dich! Lass uns gemeinsam die Welt erobern!

5. Welche kunstinteressierte Dame hat Lust, mit mir Museen und Ausstellungen zu besuchen? Ich möchte mein Wissen mit jemandem teilen, selbst etwas dazulernen und zu Neuentdeckungen motiviert werden. Zeitlich bin ich als pensionierte Lehrerin flexibel. Ich freue mich auf Ihre Zuschriften.

6. Suche Schüler/Studenten, der mit mir auf Bergtouren geht. Ich bin 20 Jahre alt, liebe die Herausforderung und finde niemanden, der eine ähnlich gute Kondition hat wie ich. Wenn du dir vorstellen kannst, einmal das Dach der Welt im Himalaya zu besteigen, schreib mir und wir trainieren gemeinsam! Du bist sportlich, zuverlässig, liebst die Berge und redest nicht zu viel.

7. Haben Sie Lust auf ein Kapitänsdinner und Sonnenuntergänge über dem Meer? Begleiten Sie mich auf einer Mittelmeerkreuzfahrt! Ich arbeite im mittleren Management, bin 53 Jahre alt, interessiere mich für Literatur und klassische Musik und genieße gutes Essen – aber nicht gern allein! Sie sind eine Dame zwischen 30 und 50 Jahren, haben ein gepflegtes Äußeres und sind vielseitig interessiert. Eine weitere Beziehung nach der Reise ist nicht mein Ziel, kann aber nicht ausgeschlossen werden.

8. Laura (3) und Maxi (5) sind liebenswerte und lustige Kinder, aber manchmal ganz schön anstrengend. Welches Elternpaar hat Kinder in ähnlichem Alter und möchte auch ab und zu einen halben Tag am Wochenende ausspannen, in die Sauna gehen oder einfach in Ruhe ein Buch lesen? Unsere Idee: Wir betreuen einmal im Monat Ihre Kinder, und Sie einmal unsere. Die Kinder haben ihren Spaß und wir unsere Ruhe. Interesse?

1 b) Was ist richtig? Lesen Sie die Anzeigen noch einmal und kreuzen Sie an.

1. a) Eine Frau ist Mitte dreißig, liebt die Natur und ist zuverlässig und fröhlich. Sie hat viele Tiere, aber keinen Mann. Sie sucht einen Mann, der ein großes Haus hat, damit sie und ihre Tiere dort leben können. ☐

   b) Eine Frau sucht einen Mann, der mit ihr und ihren Tieren zusammenleben möchte. Er soll zwischen 30 und 50 Jahre alt sein und, genauso wie sie, Tiere manchmal lieber mögen als Menschen. ☒

2. a) Ein Mann, der viel reist, sucht eine Frau, die gern fremde Länder und Menschen kennenlernt und nicht viel Luxus braucht. Er ist nicht auf der Suche nach einer Liebesbeziehung, sondern möchte nur nicht allein reisen. ☐

   b) Ein Globetrotter sucht eine junge Frau, die völlig frei ist. Sie soll keine familiären Verpflichtungen und keinen Beruf haben. Außerdem soll sie neugierig sein und sich gern auf ihn einlassen. ☐

3. a) Hier wird jemand gesucht, der schon lange und gut reitet. Er soll ein Pferd, eine Araberstute, regelmäßig reiten, weil sie nicht genug Bewegung hat. Er soll zuverlässig sein und das Pferd gut behandeln. ☐

   b) Das Pferd Shayenne kann zu wenig, deshalb wird hier ein guter Reiter gesucht, der mit ihr trainiert. Das Pferd ist nicht wild und sehr lieb. ☐

4. a) Ein Mann, der Erfolg hat, gut aussieht und reich ist, hat noch viele Wünsche: Karriere, Porsche, Weltreise, viele Einladungen und eine hübsche junge Frau. Mit ihr zusammen möchte er die Weltreise machen. ☐

   b) Einem Mann, der eigentlich alles hat, fehlt noch eine Frau. Er hat aber sehr genaue Vorstellungen von ihrem Aussehen, ihrem Alter, ihrer Bildung und ihrem Elternhaus. ☐

5. a) Eine Lehrerin, die schon in Rente ist, hat viel Zeit und geht sehr gern in Museen und Ausstellungen. Sie möchte gerne von einer Frau begleitet werden, die auch etwas von Kunst versteht. ☐

   b) Ein Herr möchte mit einer Lehrerin, die schon in Rente ist, gern zusammen Museen und Ausstellungen besuchen. Er weiß schon ein wenig über Kunst, aber er möchte noch viel lernen und Neues entdecken. ☐

6. a) Ein junger Mann sucht jemanden, der ihn auf seinen Bergtouren begleitet.
        Es sollte ein Schüler oder Student sein, der schon einmal im Himalaya war
        und viel über die Berge erzählt. ☐

    b) Ein junger Mann sucht einen Schüler oder Studenten, der gerne schwierige
        Bergtouren macht und vielleicht eines Tages mit ihm zusammen im Himalaya
        bergsteigen geht. ☐

7. a) Ein Mann plant eine Mittelmeerkreuzfahrt und möchte von einer Dame
        begleitet werden, die nett aussieht und sich gut benehmen kann. Momentan
        ist nur die Reisebegleitung wichtig, aber vielleicht könnte sich auch eine
        Liebesbeziehung aus dieser Reise entwickeln. ☐

    b) Ein 53-jähriger Manager sucht eine Dame, die ihn auf einer Mittelmeer-
        kreuzfahrt begleitet. Sie soll sich auch für Literatur und klassische Musik
        interessieren. Nach der Reise möchte er nichts mehr mit ihr zu tun haben. ☐

8. a) Hier suchen Eltern einen Babysitter, der auf ihre beiden kleinen Kinder
        aufpasst. Die Eltern möchten gern einmal am Wochenende ihre Ruhe haben. ☐

    b) Hier möchten sich Eltern mit anderen Eltern zusammentun und sich einmal
        im Monat in der Kinderbetreuung abwechseln, damit ein Elternpaar dann
        ausspannen kann und ein bisschen Ruhe hat. ☐

1 c) Lesen Sie die Antwort-E-Mails und ergänzen Sie die Lücken mit den Wörtern aus dem Schüttelkasten. Welche Mail passt zu welcher Anzeige?

Antwort:	a)	b)	c)	d)
Anzeige:	2.			

a)

besprechen • ~~mitkommen~~ • treffen • Einsamkeit • Rucksack • Reisen • Schlafsack

> ● ● ●
>
> Hallo Reisender,
>
> darf ich *mitkommen*? Ich habe selbst schon viele _____ unternommen,
>
> meist mit _____ und _____, und kenne das
>
> Problem der _____ ...
>
> Vielleicht _____ wir uns erst einmal zu einem Bier in Berlin und
>
> _____ alles Weitere?
>
> Bis bald!
> Nele

b)

fremd • Melde • gehe • probieren • Berge • konnte • Traum

> ● ● ●
>
> Grüß dich,
>
> ich _____ auch gern und oft in die _____. Der _____ von einer
>
> Bergbesteigung im Himalaya ist mir ebenfalls nicht _____.
>
> Bisher _____ ich mit jedem gut mithalten – wollen wir beide es mal
>
> zusammen _____?
>
> _____ dich bei mir!
>
> Servus
> Josef
> P.S.: Beim Gehen sage ich eigentlich nie etwas! ☺

c)

Liebe Tierfreundin,

deine _____ hat mir sehr gut _____.

Auch ich bin von den _____ schon oft _____

worden, aber von _____ noch nie! Gerne würde ich dich und deine Tierfamilie

einmal _____.

Ich bin 45 _____ alt und _____ auf einem kleinen Bauernhof.

Zu mir _____ eine Katze, ein Hund und zehn Hühner.

Vielleicht _____ wir ganz gut zusammen?

Ich _____ mich auf eine positive Antwort!

_____ Grüße

Dieter

d)

Verehrter Unbekannter,

gern würde ich Ihre _____ machen. Ich denke, dass

ich alle von Ihnen genannten _____ erfülle und

wahrscheinlich sogar Ihre _____ übertreffen werde.

Meinerseits hoffe ich, dass mir die _____ Ihres Aussehens,

Ihrer finanziellen _____ und Ihres beruflichen

_____ nicht zu viel versprochen hat und Sie mich bei einer persönlichen

_____ überzeugen.

Mit erwartungsvollen _____

Mathilde v. L.

A2 Gutes Benehmen

2 a) Lesen Sie diesen sehr förmlichen Einladungstext und ordnen Sie zu.

Sehr geehrter Herr Faulhaber,

anlässlich meines 50. Geburtstages würde ich mich sehr freuen, Sie und Ihre Frau Gemahlin am 23. September um 19 Uhr in meinem Haus zu einer kleinen Feier begrüßen zu dürfen.

Eine Dixie-Band sorgt für musikalische Untermalung und bei einem reichhaltigen Buffet sollte für jeden Geschmack etwas dabei sein.

Bitte geben Sie mir bis zum 15. September Bescheid, ob Sie kommen können.

Ich freue mich auf den Abend
und verbleibe mit freundlichen Grüßen

Peter Willmert

Kleiderordnung: gehobene Freizeitkleidung (smart casual)
Adresse: Fasanenweg 3, Unternburg

1. Anlass
2. Ort
3. Zeit
4. Art der Veranstaltung
5. Termin für Antwort
6. Gastgeber
7. Kleiderordnung

a) 23. September, 19 Uhr
b) gehobene Freizeitkleidung
c) Peter Willmert
d) 15. September
e) Fasanenweg 3, Unternburg
f) kleine Feier, Dixie-Band, Buffet
g) 50. Geburtstag

1.	2.	3.	4.	5.	6.	7.
		a)				

**2 b) Lesen Sie die möglichen Antworttexte. Welcher Text passt, welcher nicht?
Bitte begründen Sie kurz!**

1.

> Lieber Herr Willmert,
>
> es tut mir sehr leid, aber an diesem Abend habe ich meine Skatrunde mit
> meinen Freunden. Und die wären mir sehr böse, wenn ich das ausfallen
> lasse!
>
> Trotzdem wünsche ich Ihnen ein schönes Fest, und denken Sie daran:
> Wir Männer werden nicht älter, nur interessanter!
>
> Viel Spaß!
> Franz Faulhaber

☐ Passt.

☒ Passt nicht, weil _____

_____

_____

2.

> Sehr geehrter Herr Willmert,
>
> herzlichen Dank für Ihre freundliche Einladung! Ich wäre so gern gekommen,
> aber leider muss ich ausgerechnet an diesem Abend dringende familiäre
> Verpflichtungen erfüllen.
>
> Dennoch wünsche ich Ihnen natürlich einen wunderschönen Abend.
> Genießen Sie das Fest im Kreis Ihrer Familie und Freunde! Und lassen
> Sie uns bei unserem nächsten Treffen noch einmal auf Ihren Geburtstag
> anstoßen!
>
> Mit besten Grüßen
> Franz Faulhaber

☐ Passt

☐ Passt nicht, weil _____

_____

_____

3.

> Sehr geehrter Herr Willmert,
>
> vielen Dank für die nette Einladung, wir kommen natürlich gern.
>
> Da wir nicht so recht wissen, was man Ihnen schenken kann, übt meine
> Tochter schon an einem kleinen Geigenstück, das sie Ihnen vorspielen wird.
> Die Kinder und wir freuen uns schon sehr auf den Abend!
>
> Bis bald,
>
> Franz Faulhaber

☐ Passt

☐ Passt nicht, weil _____

_____

2 c) Lesen Sie diesen sehr locker formulierten Einladungstext und ordnen Sie zu.

● ● ●

Hallo Anita und Klaus,

nächstes Wochenende steigt bei uns eine riesige Geburtstagparty – wie ihr wisst, wird Oliver, der arme

alte Mann, 30 Jahre alt!

Kommt doch am Samstag so um 20 Uhr bei uns vorbei und bringt gutes Wetter mit, wir würden gern im

Garten feiern ...!

Supernett wäre es, wenn ihr auch etwas zum Essen machen würdet. Meldet euch doch die nächsten Tage

mal bei mir, ob ihr kommen könnt und was ihr mitbringt.

Ich freu mich!

Liebe Grüße

Hanna

P.S.: Nehmt euch einen warmen Pulli mit, falls es nachts im Garten kalt wird!

1. Anlass	a) nächster Samstag, 20 Uhr
2. Ort	b) Gartenparty
3. Zeit	c) in den nächsten Tagen
4. Art der Veranstaltung	d) 30. Geburtstag
5. Termin für Antwort	e) keine, warmen Pulli mitnehmen
6. Gastgeber	f) Garten von Hanna und Oliver
7. Kleiderordnung	g) Hanna und Oliver

1.	2.	3.	4.	5.	6.	7.
d)						

2 d) Lesen Sie die möglichen Antworttexte. Welcher Text passt, welcher nicht? Bitte begründen Sie kurz!

1.

● ● ●

Liebe Hanna, lieber Oliver,

wir bedanken uns für die freundliche Einladung, aber leider sind wir an diesem Tag geschäftlich

verhindert. Das Wochenende fällt leider mit einem Messetermin in Frankfurt zusammen. Dem Jubilar

wünschen wir ein erinnerungswürdiges Fest und verbleiben

mit freundlichen Grüßen

Anita und Klaus

☐ Passt.

☒ Passt nicht, weil _____

2.

> • • •
>
> Hi, ihr beiden,
>
> tja, es erwischt jeden einmal, Oliver! Aber denk dir nichts, schöne junge Frauen mögen reife Männer!
>
> Klar kommen wir und helfen euch, ein paar Kisten Bier zu leeren. Als Nachtisch bringen wir den
>
> tiefgefrorenen Kuchen von Leckerland mit, der schmeckt!
>
> Übrigens, am Wochenende ist Klaus' älterer Bruder da, der hat sicher Lust mitzukommen!
>
> Bis bald!
>
> Anita

☐ Passt
☐ Passt nicht, weil _____

_____

_____

_____

_____

3.

> • • •
>
> Hallo, ihr Lieben,
>
> das ist ein toller Plan fürs Wochenende! Wir kommen sehr gern und helfen Oliver, sich an sein neues Alter
>
> zu gewöhnen! ☺
>
> Morgen rufe ich euch an, dann können wir besprechen, was auf dem Buffet noch fehlt.
>
> Wir freuen uns auf Samstag!
>
> Anita und Klaus

☐ Passt
☐ Passt nicht, weil _____

_____

_____

_____

2 e) In der Zeitschrift „Life & Style" gibt Frau von Kelden Tipps rund um Fragen zum guten Benehmen. Lesen Sie die folgenden Beiträge und kreuzen Sie an: Was ist richtig, was ist falsch?

1.

Rita M.:	Meine Kollegen und ich gehen jeden Tag zusammen zum Mittagessen. Einer meiner Kollegen behauptete neulich, es sei heute erlaubt, das Messer kurz in den Mund zu stecken, um Essensreste davon abzulecken. Ich denke, dass es sich dabei um sehr schlechte Tischmanieren handelt. Wer hat recht?
v. Kelden:	Sie haben recht. Das Messer sollte ausschließlich dazu benützt werden, das Essen zu zerteilen oder Butter, Käse oder Ähnliches auf einem Brot zu verteilen. Eine weitere Aufgabe des Messers ist es, der Gabel ein wenig zu helfen, um das Essen aufzunehmen, wozu niemals ein Finger benützt werden sollte.

	richtig	falsch
a) Ich darf mit dem Messer mein Essen in Stücke schneiden.	☒	☐
b) Ich darf vom Messer Essensreste ablecken.	☐	☐
c) Ich darf mit dem Messer helfen, das Essen auf die Gabel zu schieben.	☐	☐
d) Ich darf mit dem Messer nicht die Butter auf das Brot streichen.	☐	☐

2.

> *Thorsten F.:* Ich bin in meinem Verhalten Frauen gegenüber immer unsicher. Darf ich in der heutigen Zeit einer Frau noch die Tür aufhalten oder ihr in den Mantel helfen? Oder fühlt sie sich dann nicht akzeptiert als emanzipierte Frau?
>
> *v. Kelden:* Möchten Sie einer Frau Respekt zeigen und ihr aufmerksam begegnen? Dann halten Sie ihr die Tür auf, helfen Sie ihr in den Mantel und stehen Sie von Ihrem Platz auf, um sie zu begrüßen, wenn sie an den Tisch kommt. Sie wird sich freuen und sich respektiert fühlen. Wenn dieses Verhalten eine Frau stört, werden Sie es sicherlich merken und sich zurückhalten.

	richtig	falsch
a) Ich zeige einer Frau Respekt, wenn ich ihr nicht die Tür aufhalte, denn dann fühlt sie sich akzeptiert als emanzipierte Frau.	☐	☐
b) Um einer Frau gegenüber aufmerksam zu sein, stehe ich auf, wenn sie an den Tisch kommt.	☐	☐
c) In der heutigen Zeit hält man einer Frau nicht mehr die Tür auf.	☐	☐
d) Ich helfe einer Frau auch in den Mantel, wenn es sie stört.	☐	☐

3.

Peter S.:	Ich liebe scharfe Speisen, aber muss zugeben, dass ich beim Essen ziemlich zu schwitzen beginne. Bei meinem letzten Restaurantbesuch mit einer Freundin habe ich die Serviette benutzt, um mir den Schweiß von der Stirn zu wischen, und sie hat mich dabei entsetzt angesehen. Ist das wirklich nicht erlaubt?
v. Kelden:	Vielleicht sollten Sie Ihre Vorlieben beim Essen ein wenig überdenken. Grundsätzlich sind Tischmanieren dazu da, das gemeinsame Essen für alle zu einem angenehmen Erlebnis zu machen. Dabei möchte man nichts hören oder sehen, was einen stört. Nun ist ein schwitzender Mensch beim Sport in Ordnung, aber nicht bei Tisch. Essen Sie nur so scharf, dass Ihr Körper nicht heftig darauf reagiert. Die Serviette ist in jedem Fall ausschließlich dazu da, sich den Mund abzutupfen. Und nach Beendigung der Mahlzeit wird die Serviette locker gefaltet und mit der sauberen Seite nach oben neben dem Teller abgelegt, niemals auf dem Teller.

	richtig	falsch
a) Es ist in Ordnung, wenn man beim Sport schwitzt, also ist das auch beim Essen in Ordnung.	☐	☐
b) Es gibt Tischmanieren, um das Essen für alle zu einem angenehmen Erlebnis zu machen.	☐	☐
c) Man sollte immer so scharf essen, dass der Körper darauf reagiert, denn das ist gesund.	☐	☐
d) Wenn ich mit dem Essen fertig bin, falte ich die Serviette zusammen und lege sie neben den Teller.	☐	☐

Ein toller Typ

3 a) Martha beschreibt in einer E-Mail ihrer Schwester Christine ihren neuen Freund und bekommt eine ähnliche Antwortmail. In welchen der Männer unten haben sich die Schwestern jeweils verliebt?

Meine liebe Christine,

ich hoffe, bei dir ist alles in Ordnung. Wahrscheinlich hast du dich gewundert, warum du seit zwei Wochen nichts von mir gehört hast.

Schwesterchen, mich hat's erwischt! Ich habe meinen Traummann kennengelernt. Du lachst jetzt bestimmt und denkst: „Schon wieder?", aber ich sage dir, dieses Mal ist er es wirklich!

Pass auf: Er ist ungefähr 1,80 Meter groß, hat lockige braune Haare und wunderschöne grüne Augen. Man sieht, dass er viel Sport macht (er fährt oft Mountainbike und schwimmt viel), und er zieht sich gern schick an und fährt – halt dich fest! – einen Porsche. Dabei ist er aber ein ganz normaler und unkomplizierter Typ, der einfach gern schnelle Autos mag. Wir können uns stundenlang unterhalten und haben in vielen Dingen dieselbe Meinung. Und wir lachen viel. Er hat viel Humor und ist sehr schlagfertig. Auf eine sehr angenehme Art ist er selbstbewusst, aber er spielt sich nicht in den Vordergrund, sondern ist wirklich interessiert an anderen Menschen. Was mir auch noch nicht passiert ist: Er fragt mich ständig, ob er nicht etwas für mich tun kann! So einen hilfsbereiten Menschen habe ich wirklich noch nie erlebt. Als es mir letzte Woche mal nicht so gut ging, hat er sich so liebevoll um mich gekümmert, dass ich mich richtig verwöhnt gefühlt habe.

Christine, ich glaube, den muss ich festhalten ...

Wann kommst du mich denn mal besuchen, damit du ihn kennenlernst? Bitte bald!

Mach's gut, alles Liebe von deiner Martha

Martha beschreibt den Mann Nummer ____.

|  | 1.
Finanzberater, 28, heller Typ, karrierebewusst und ehrgeizig. Ernsthafter und introvertierter Charakter. Ein bisschen ängstlich und unsicher, aber sehr zuverlässig. | | 2.
Physiotherapeut, 29, dunkler, sportlicher Typ. Äußerlichkeiten sind nicht ganz unwichtig, trotzdem natürlich und umgänglich. Selbstsicher, kontaktfreudig und tolerant. Vielseitig interessiert; geht mit optimistischer Grundeinstellung durchs Leben. |

Meine liebe Martha,

das gibt's doch nicht! Anscheinend ist dir zur selben Zeit wie mir genau dasselbe passiert. Gerade heute wollte ich dir schreiben und erzählen, dass ich mich sehr verliebt habe, in einen ganz wunderbaren Mann. Ich glaube, mein Ralf ist ein ganz anderer Mensch als dein Traummann. Wie heißt er eigentlich, wie alt ist er und was macht er beruflich? Das hast du mir noch gar nicht verraten!

Also, Ralf hat lange blonde Haare und spielt Geige. Bei einer ersten Begegnung lernst du ihn nicht gleich richtig kennen, weil er leider sehr schüchtern ist. Aber er ist unglaublich kreativ und talentiert, dabei sehr bescheiden – ich glaube, manchmal fast zu bescheiden! Deshalb ist er auch kein Berufsmusiker, das wäre nichts für ihn. Er ist sehr geduldig und freundlich, ich habe ihn noch nie wütend oder aggressiv erlebt. Vielleicht ist er ein bisschen verträumt und vergesslich – ich kann mich nicht immer darauf verlassen, dass er auch wirklich zur verabredeten Zeit kommt. Denn vielleicht hat er gerade Geige geübt und die Zeit vergessen ... Aber das macht ihn für mich auch irgendwie liebenswert.

Tja, Schwesterchen, ich denke, es ist höchste Zeit, dass wir uns einmal zu viert treffen! Ruf mich an, dann machen wir etwas aus.

Liebe Grüße, deine Christine.

Christine beschreibt den Mann Nummer ___.

3.
Regisseur, 32, blond und blauäugig. Impulsiv, kreativ, immer für künstlerische Experimente zu haben. Manchmal ungeduldig, aber nicht nachtragend.

4.
Informatiker, 30, dunkle Haare, braune Augen. Ruhig und anpassungsfähig. Liebt gemütliche Atmosphäre und ist sehr häuslich. Ein zurückhaltender, höflicher Mensch.

5.
Bibliothekar, 29, heller Typ, Musikliebhaber und Romantiker. Introvertiert, aber ausgeglichen und einfühlsam. Leider manchmal ein wenig unzuverlässig.

3 b) Die folgenden Sätze beschreiben Personen. Welche Sätze passen zusammen?

1. Er ist immer ausgeglichen, deshalb

2. Sie ist meist sehr modisch gekleidet, denn

3. Er ist ein sehr toleranter Mensch und

4. Sie kann nicht gut erklären, weil

5. Er ist ein sachlicher Gesprächspartner, da

6. Sie hat viel Humor und

7. Er ist sensibel und einfühlsam, weshalb

8. Sie ist nicht sehr anpassungsfähig, deshalb

9. Er ist ein ängstlicher Typ und

10. Sie achtet nie auf ihre Mitmenschen, weil

11. Er ist sehr schlagfertig und

12. Sie ist eine wirklich gute Freundin, weil

a) er sich nicht von Emotionen leiten lässt.

b) er gut mit alten Menschen umgehen kann.

c) hat sie viele Probleme mit ihren Kollegen.

d) sie sehr egozentrisch ist.

e) habe ich ihn noch nie wütend erlebt.

f) sie ein so hilfsbereiter Mensch ist.

g) weiß auf alles eine witzige Antwort.

h) akzeptiert alle Meinungen.

i) sie sehr ungeduldig ist.

j) für sie ist ein gepflegtes Äußeres wichtig.

k) würde nie ein Risiko eingehen.

l) findet in jeder Situation etwas zum Lachen.

1.	2.	3.	4.	5.	6.	7.	8.	9.	10.	11.	12.
e)											

B Wohnliches

B1 Wohngemeinschaften der anderen Art

1 a) Lesen Sie die folgenden Wohnungsanzeigen. Ergänzen Sie die Lücken mit den Wörtern aus den Schüttelkästen.

Waschbecken • Universität • Heizung • ~~Studentenwohnheim~~ • Küche • Größe •
Parkplätze • Sportgeräten • Erfahrungen • Sanitärraum • Preis • Kompetenz •
Bushaltestelle • Reinigungspersonal • Quadratmeter • Sauberkeit • Fernsehen •
Treppen • Anschlüsse • Freizeitgestaltung • Lage • Zugang • Waschraum •
Veranstaltungen • Fahrradstellplätze

1. _Studentenwohnheim_

Das Humboldtheim liegt zwischen Stadtpark und Bahnhof, etwa 15 Gehminuten von der

_____ (1.) entfernt. Zur nächsten _____ (2.) sind

es drei Minuten zu Fuß. Wegen der ruhigen _____ (3.) in einer kleinen Nebenstraße

stehen nur wenige _____ (4.) für Autos zur Verfügung, allerdings gibt es

viele _____ (5.) und einen Fahrradkeller.

Die einzelnen Zimmer sind zwischen 12 und 18 _____ (6.) groß,

insgesamt gibt es 116 Zimmer mit _____ (7.). In den Zimmern sind

_____ (8.) für Telefon, Rundfunk und _____ (9.) vorhanden

sowie ein kostenloser _____ (10.) zum Internet. Jeweils acht Zimmer haben eine

gemeinsame _____ (11.) und einen Aufenthaltsraum sowie einen

_____ (12.) mit Duschen und Toiletten. Für Ordnung und

_____ (13.) der gemeinsamen Räumlichkeiten sorgen die jeweiligen

Bewohner selbst, _____ (14.) und Flure werden allerdings vom

_____ (15.) sauber gehalten.

Im Keller des Wohnheims befinden sich ein großer _____ (16.) mit Wasch-

maschinen und Trocknern, ein Fitnessraum mit _____ (17.) und zwei

Tischtennisplatten und ein Partyraum für größere _____ (18.).

Der aktuelle _____ (19.) für eines der möblierten Zimmer liegt, je nach

_____ (20.), bei 175 bis 218 Euro. Die Nebenkosten für Strom, Wasser,

_____ (21.) und Anschlüsse sind im Preis inbegriffen.

Das Leben im Humboldtheim bringt nur Vorteile: Erstsemester profitieren von den

_____ (22.) älterer Studenten, soziale _____ (23.) wird

gefördert und die gemeinsame _____ (24.) macht es

einfach, Freunde zu finden.

Wohnraum • Betreuung • Unterstützung • Verfügung • Psychiatrie • Bewohner •
Pflegefachkräften • Betreutes • selbstbestimmtes

2. _____ (1.) *Wohnen*

Unser Wohnprojekt umfasst verschiedene Häuser, die jeweils unterschiedlichen

Personengruppen _____ (2.) bieten. Allen Bewohnern gemeinsam ist,

dass sie in ihrem Alltag _____ (3.) von Fachkräften brauchen.

Um ihnen trotzdem ein _____ (4.) und unabhängiges

Leben zu ermöglichen, stellen wir Wohnungen und Wohngemeinschaften zur

_____ (5.), die für die Bedürfnisse ihrer _____ (6.) optimal

eingerichtet sind. Wir arbeiten mit Sozialpädagogen und

_____ (7.) und kooperieren mit Institutionen wie

Suchthilfe und _____ (8.). Selbstverständlich ist auch eine

regelmäßige medizinische _____ (9.) gegeben.

Tagesablauf • Ausbildung • Aufteilung • Sozialamt • Schritt • Erlernen •
Rollstuhlfahrer • Schwerpunkt • Angebot • Respekt • Jugendlichen • Schulabschluss •
behandeln • Dusche • Erdgeschoss • gesundheitlich • Garten • Fernsehraum •
Gemeinschaftsküche • miteinander • Einzelzimmer • Voraussetzung

Das Haus an der Feldinger Straße ist für Menschen mit körperlichen Behinderungen

ausgelegt und bietet 28 möblierte _____ (10.). Die Zimmer haben

_____ (11.) und WC. Im _____ (12.) gibt es ein Wannenbad mit

Lift, einen Fitnessraum, einen Musikraum und eine Werkstatt. Im Eingangsbereich

befinden sich ein Café und ein _____ (13.). Jedes Stockwerk hat eine

_____ (14.) und einen gemeinsamen Aufenthaltsraum.

Die Einrichtung des gesamten Hauses ist völlig barrierefrei.

Hinter dem Haus liegt ein _____ (15.), der durch eine größere Terrassenfläche und

ein Wegenetz auch für _____ (16.) unproblematisch nutzbar ist.

Diese grundsätzliche _____ (17.) ist bei allen unseren Wohnheimen ähnlich,

so auch in dem Wohnheim in der Schillerstraße, das Wohnungslose aufnimmt. Hier liegt

jedoch der _____ (18.) auf der psychischen Betreuung. Wir versuchen,

die Probleme der Bewohner zu _____ (19.) und sie zu motivieren, ihr Leben

unter Kontrolle zu bekommen, damit sie sich _____ (20.),

psychisch und sozial stabilisieren. Wir bieten Hilfe dabei, den _____ (21.)

zu strukturieren, was oft der erste _____ (22.) zu sozialer Reintegration ist.

Ein wichtiger Teil unserer Arbeit ist das _____ (23.) für Jugendliche in schwierigen

Lebenssituationen, so im Wohnheim in der Krokusstraße. Hier werden die

_____ (24.) dabei unterstützt, einen _____ (25.)

oder eine _____ (26.) zu machen beziehungsweise einer geregelten Arbeit

nachzugehen.

In der Wohngruppe Hellstraße für unbegleitete minderjährige Flüchtlinge steht das

_____ (27.) der deutschen Sprache an erster Stelle, als

_____ (28.) für ein erfolgreiches Absolvieren von Schule und

Ausbildung. In dieser Wohngemeinschaft ist es besonders wichtig, friedlich und tolerant

_____ (29.) zu leben und _____ (30.) vor der Kultur der anderen

zu erlernen.

Finanziert werden unsere Wohnprojekte durch das _____ (31.).

Lebenserfahrung • Kosten • Gemeinschaftsräume • Unterstützung • Ausflügen •
Zeit • Alleinerziehende • Zusammenleben • Veranstaltungen • Einsamkeit •
Großfamilie • Hilfe • Verwandtschaft • Kinderbetreuung • Projekte • Treffen •
Nationalität • Parteien • Mietpreis • Wohneinheiten • Konflikte •
Mehrgenerationenhaus • Miteinander • Aktionsprogramm • Kursangeboten

3. _____ (1.)

Vor drei Jahren ist in Helberstadt ein Mehrgenerationenhaus, das MGH, entstanden.

Hier leben Jung und Alt zusammen wie in einer traditionellen _____ (2.),

allerdings spielen _____ (3.) oder

_____ (4.) keine Rolle.

In dem Haus wohnen 18 _____ (5.) in abgeschlossenen

_____ (6.) von 28 bis 130 Quadratmetern,

sodass auch jeder einmal für sich sein kann. Wichtig sind jedoch die

_____ (7.) und das gemeinsame

_____ (8.), das von verschiedenen

_____ (9.) über kulturelle

_____ (10.) und Feste bis zu

gemeinsamen _____ (11.) geht.

Im MGH kann sich jeder nach seinen Möglichkeiten ins soziale

_____ (12.) einbringen, durch _____ (13.),

Gartenpflege, Nachhilfe, _____ (14.) bei kleineren Reparaturen im Haushalt oder

Einkaufshilfe, um nur eine kleine Auswahl zu nennen.

Viele Senioren leben in _____ (15.) und brauchen

_____ (16.) in ihrem Alltag, dafür suchen gerade

_____ (17.) oft dringend eine Kinderbetreuung.

Das können ältere Menschen gut leisten, weil sie häufig viel _____ (18.) haben.

Auch von ihrer _____ (19.) können die jungen Leute

profitieren.

Selbstverständlich muss das _____ (20.) gut organisiert sein.

Dafür haben die Hausbewohner alle 14 Tage ein festes _____ (21.) vereinbart,

um wichtige Punkte zu besprechen und eventuelle _____ (22.) zu lösen.

Der _____ (23.) liegt bei acht Euro pro Quadratmeter, allerdings werden

_____ (24.) für gemeinsame _____ (25.) zusätzlich auf alle Bewohner

des Hauses umgelegt.

B

1 b) Notieren Sie in Stichpunkten die wichtigsten Informationen zu den einzelnen Wohneinrichtungen.

1. Studentenwohnheim

1. Lage: _zwischen Stadtpark und Bahnhof; ruhig; in kleiner Nebenstraße_

2. Entfernung zur Universität: _____

3. Parkmöglichkeiten: _____

4. Größe der Zimmer: _____

5. Ausstattung der Zimmer: _____

6. Gemeinsame Nutzung von: _____

7. Freizeitangebote: _____

8. Mietpreis: _____

2. Betreutes Wohnen

1. Wohnprojekt für folgende Personengruppen: _____

2. Personal und kooperierende Institutionen: _____

3. Räumliche Aufteilung der Häuser: _____

4. Zielsetzung Wohnheim
   für Wohnungslose: _____

5. Zielsetzung Wohnheim
   für Jugendliche: _____

6. Zielsetzung Wohnheim
   für unbegleitete
   minderjährige
   Flüchtlinge: _____

7. Finanzierung: _____

3. Mehrgenerationenhaus:

1. Form des
   Zusammenlebens: _____

2. Anzahl der
   Wohneinheiten: _____

3. Größe der Wohnungen: _____

4. Gemeinsames
   Aktionsprogramm: _____

5. Mögliche Tätigkeiten
   für die Gemeinschaft: _____

6. Organisation des
   Zusammenlebens: _____

7. Mietpreis: _____

B2 Beschwerdebrief an den Vermieter

2 a) Lesen Sie die einzelnen Textteile und bringen Sie sie in die richtige Reihenfolge. Schreiben Sie dann den Brief in der korrekten Form.

1.	2.	3.	4.	5.	6.
i)					

7.	8.	9.	10.	11.	12.

Ernst-August Bauer, Lilienstraße 8, 79214 Plinsgau

Frau
Dorothea Hinterseher
Enggasse 13
79213 Oberpfuhlingen

Plinsgau, 08.03.2017

1. _____

2. _____

3. _____

4. _____

5. _____

6. _____

7. _____

8. _____

9. _____

10. _____

11. _____

12. _____

a) Dazu kämpfe ich seit Beginn der kalten Jahreszeit mit Schimmel im Badezimmer.

b) Ich habe Rücksprache mit einem Rechtsanwalt gehalten, der mir dazu geraten hat, einen Teil der Miete einzubehalten.

c) seit Oktober letzten Jahres bin ich Mieter in der Erdgeschosswohnung in Ihrem Haus in der Lilienstraße.

d) Deshalb werde ich ab sofort 20 Prozent weniger Miete bezahlen, bis die oben erwähnten Mängel behoben sind.

e) Obwohl ich mehrmals täglich das Fenster öffne, ist die gesamte Außenwand voller Schimmel, der auch nach einer Behandlung mit Schimmelspray immer wiederkommt.

f) Damals, bei meinem Einzug, hatten Sie mir eine Erneuerung des Teppichbodens im Wohnzimmer zugesagt.

g) Auch darauf hatte ich Sie einmal telefonisch aufmerksam gemacht und Sie wollten einen Spezialisten vorbeischicken.

h) Bis heute ist niemand gekommen.

i) Sehr geehrte Frau Hinterseher,

j) Statt einer Miete von 900 Euro werde ich also diesen Monat nur eine Miete von 720 Euro überweisen.

k) Bis heute ist nichts passiert, obwohl ich mehrmals nachgefragt habe.

l) Mit freundlichen Grüßen
Ernst-August Bauer

2 b) Die Vermieterin reagiert sofort und entschuldigt sich. Sie schreibt, dass sie aus persönlichen Gründen leider keine Zeit hatte, sich um die Wohnung zu kümmern, nun aber alles sofort erledigen wird. Daraufhin schreibt Herr Bauer folgenden Antwortbrief. Ergänzen Sie die Sätze und orientieren Sie sich an den Leitpunkten.

1. Er bedankt sich, dass sich Frau Hinterseher nun um alles kümmern wird.

2. Er hat Verständnis dafür, dass es Situationen im Leben gibt, in denen andere Dinge wichtiger sind.

3. Er bittet sie aber auch um Verständnis für seine Situation.

4. Er möchte, dass sie ihm einen Tag in der nächsten Woche nennt, an dem der Spezialist für die Schimmelbehandlung sein Badezimmer anschauen wird.

5. Er hofft auf einen Termin nächste Woche, weil er da Urlaub hat und zu Hause sein wird.

6. Er bietet ihr an, einen neuen Teppichboden im Wohnzimmer verlegen zu lassen und ihr die Rechnung zu schicken, damit sie sich um nichts weiter kümmern muss.

7. Er versichert ihr, die Miete ohne Kürzung zu überweisen, wenn sie alle Punkte wie besprochen im Laufe der nächsten zwei Wochen erledigt.

8. Er bedankt sich und hofft auf ein weiterhin gutes Mietverhältnis.

S_____ g_____ F_____ Hinterseher,

ich d_____ I_____, d_____ S___ s____ n___ u_ a_____ k_____

w_____. N_____ v_____ i___, d_____ e_ S_____

i__ L_____ g_____, i_ d_____ a_____ D_____ w_____ s____.

Denn_____ ho_____ i___, d_____ a_____ S___ m_____ S_____

v_____.

Bitte n_____ S___ m__ d_____ e_____ T___ i_ d___ n_____

W_____, a_ d___ d___ Sp_____ f___ d__

Sch_____ k_____ k_____ u____ m___

B_____ a_____.

Ein T_____ n_____ W_____ wä___ gu__, w_____ i___ U_____ h____

u___ z__ H_____ s____ w_____.

Wären S___ einv_____, w_____ i___ d___ T_____

i__ W_____ sel_____ v_____ l_____ u___ l_____ d__

R_____ s_____? D_____ m_____ S___ s____ u__ n_____

w_____ k_____.

Selbstv_____ w_____ i___ I_____ d__ M_____ o___

K_____ ü_____, w_____ a_____ P_____ w__

b_____ i__ L_____ d___ n_____ z_____ W_____

e_____ w_____.

Nun b_____ i___ m_____ u___ h_____, d_____ w__ w_____ e__

g_____ Mi_____ h_____ w_____.

M___ f_____ G_____

E_____ -A_____ B_____

B3 Hausordnung

3 a) Lesen Sie die Hausordnung und kreuzen Sie an: Was ist richtig, was ist falsch?

Hausordnung

Die Hausordnung enthält Rechte und Pflichten und gilt für alle Hausbewohner. Bitte beachten Sie diese wichtigen Regeln des Zusammenlebens, dann werden sich Ihre Mitbewohner wohlfühlen.

Beachten Sie die Ruhezeiten von 13.00 Uhr bis 15.00 Uhr und zwischen 22.00 Uhr und 6.00 Uhr. Radios, Fernseher etc. müssen auf Zimmerlautstärke eingestellt werden. Bei Feiern informieren Sie bitte Ihre Mitbewohner rechtzeitig.

Das Spielen von Musikinstrumenten ist bis zu zwei Stunden täglich erlaubt, allerdings nicht während der Mittagsruhe und nicht zwischen 19.00 Uhr und 8.00 Uhr.

Der Hof und die Wiese vor dem Haus dürfen von den Kindern zum Spielen genutzt werden, allerdings nicht der Keller und die Tiefgarage. Auch für Freunde der hier im Haus wohnenden Kinder ist der Spielplatz zugänglich.

Die Eltern der Kinder sorgen für die Sauberkeit und Ordnung der Plätze, auf denen ihre Kinder spielen.

Aus Sicherheitsgründen sind die Haus- und Hofeingänge sowie die Treppen und Flure als Fluchtwege freizuhalten. Nur Kinderwagen und Rollstühle dürfen abgestellt werden, wenn sie keinen Fluchtweg versperren.

Keller-, Dach- und Treppenhausfenster müssen in der kalten Jahreszeit und bei Regen und Gewitter geschlossen bleiben.

Auf den Balkonen ist Grillen mit Holzkohle nicht erlaubt, allerdings gibt es eine dafür vorgesehene Fläche auf der Wiese hinter dem Haus.

Das Lagern von Materialien, die sich leicht entzünden oder starken Geruch entwickeln, ist im Keller und auf dem Speicher verboten.

Haus und Grundstück müssen sauber und ordentlich gehalten werden. Die Mieter sind nach einem Reinigungsplan des Vermieters beauftragt, abwechselnd Flure, Treppen, Hof, Zugangswege zum Haus und Mülltonnenstandplätze zu reinigen. Auch der Bürgersteig vor dem Haus muss gekehrt und im Winter vom Schnee befreit werden.

Der Müll darf nur in die Mülltonnen und Container geworfen werden. Bitte achten Sie streng auf die Mülltrennung!

Blumenkästen müssen am Balkon oder auf dem Fensterbrett sicher befestigt werden. Beim Gießen sollte das Wasser nicht auf die Balkone anderer Mieter tropfen.

Motorfahrzeuge dürfen nicht im Hof und auf den Gehwegen abgestellt werden. Autos und Motorräder dürfen auf dem Grundstück nicht gewaschen oder repariert werden.

Das Abstellen von Fahrrädern ist nur auf dem Fahrradstellplatz und im Fahrradkeller gestattet.

Haustiere dürfen sich nicht ohne Aufsicht im Treppenhaus, im Hof oder auf den Wiesen bewegen. Von den Besitzern ist auf Sauberkeit zu achten. Es ist für Haustiere nicht erlaubt, sich auf den Spielplätzen aufzuhalten.

Was ist richtig, was ist falsch?

	richtig	falsch

1. In den Ruhezeiten darf man nur in den Zimmern laut Radio hören und fernsehen. ☐ ☒

2. In den Ruhezeiten sollten Sie alles vermeiden, was Ihre Nachbarn hören könnten. ☐ ☐

3. Bei Feiern sollte man alle Mitbewohner einladen. ☐ ☐

4. Pro Musikinstrument darf man zwei Stunden täglich üben. ☐ ☐

5. Kinder und ihre Freunde dürfen auf dem Grundstück spielen, aber im Keller und in der Tiefgarage ist es zu gefährlich. ☐ ☐

6. Die Eltern müssen jeden Tag die Spielplätze putzen und aufräumen. ☐ ☐

7. Kinderwagen und Rollstühle müssen im Hauseingang abgestellt werden. ☐ ☐

8. Bei schlechtem Wetter müssen die Hausbewohner darauf achten, dass im ganzen Haus keine Fenster offen stehen. ☐ ☐

9. Mit einem Elektrogrill darf man auf dem Balkon grillen. ☐ ☐

10. Man darf nichts im Keller haben, das brennen kann oder stinkt. ☐ ☐

11. Der Vermieter hält nach einem Plan das Haus und das Grundstück sauber. ☐ ☐

12. Im Winter müssen die Bürger vor dem Haus den Schnee entfernen. ☐ ☐

13. Es ist wichtig, Papier in die Papiertonne, biologische Abfälle in die Biotonne und den Rest in die Restmülltonne zu werfen. ☐ ☐

14. Man darf Blumenkästen auf den Balkon stellen, aber man muss aufpassen, dass sie nicht herunterfallen können. ☐ ☐

15. Im Hof kann man sein Auto waschen oder reparieren. ☐ ☐

16. Wo die Kinder spielen, dürfen auch die Haustiere spielen. ☐ ☐

3 b) Ihr Nachbar hält sich in mehreren Punkten nicht an die Hausordnung und das stört Sie sehr. Sie schreiben ihm einen Brief und bitten ihn, künftig die Hausordnung zu beachten. Ordnen Sie zu.

1. Sehr geehrter Herr Müller,
2. Natürlich verstehe ich, dass Sie als Berufsgeiger oft üben müssen,
3. Wenn Sie ausnahmsweise auch einmal am Abend üben, ist das für mich in Ordnung,
4. Meine Kinder sollten um diese Zeit schlafen
5. Da sind Ihre Geigenübungen,
6. Außerdem haben Sie die letzten Wochen
7. Wissen Sie,
8. Der Geruch und der Rauch
9. Ihr lebendiges Sozialleben freut mich für Sie,
10. Nun noch ein letzter Punkt:
11. Ich verstehe, dass Sie den Geruch nicht so gern in Ihrer Wohnung haben,
12. Sorgen Sie doch bitte wenigstens dafür,
13. Ich hoffe weiterhin
14. Mit freundlichen Grüßen

a) aber in letzter Zeit haben Sie häufig von 21.00 Uhr bis 24.00 Uhr gespielt.
b) ist für die Nachbarn wirklich nicht angenehm.
c) jeden Freitag- und Samstagabend mit Freunden auf dem Balkon gefeiert und gegrillt.
d) aber bitte nehmen Sie Rücksicht auf die Nachbarn, die auch mal einen ruhigen Abend auf dem Balkon genießen möchten.
e) in letzter Zeit habe ich mich mehrmals von der Lautstärke in Ihrer Wohnung sehr gestört gefühlt.
f) aber genauso unangenehm ist er auf dem Flur!
g) und ich selbst höre gern abends im Wohnzimmer Musik.
h) Ihre Katze, ein wirklich nettes Tier, hat ihre Katzentoilette auf dem Flur vor Ihrer Wohnungstür.
i) dass die Katzentoilette regelmäßig gereinigt wird.
j) aber ich würde Sie doch sehr bitten, dabei die Ruhezeiten von 13.00 Uhr bis 15.00 Uhr und von 19.00 Uhr bis 8.00 Uhr zu beachten.
k) dass Grillen mit Holzkohle vonseiten des Vermieters nicht erlaubt ist?
l) die man in unserer Wohnung sehr laut hört, nicht wirklich passend.
m) Anna Häberle
n) auf eine gute Nachbarschaft in gegenseitiger Rücksichtnahme!

1.	2.	3.	4.	5.	6.	7.	8.	9.	10.	11.	12.	13.	14.
e)													

C Hobby und Spiel

C1 Fotowettbewerb *Natur und wir*

**1 a) Lesen Sie die Ausschreibung zum Fotowettbewerb und kreuzen Sie an:
Was ist richtig?**

Ausschreibung

Das Umweltministerium veranstaltet in Zusammenarbeit mit dem *Naturkundemuseum
Brandenburg* und dem Museum *Flora und Fauna* in Dessau einen Fotowettbewerb mit
dem Thema *Natur und wir*. Bis einschließlich 31. August können Fotografien eingeschickt
werden, die Tiere, Pflanzen oder Landschaften abbilden und zeigen, wie wunderbar und
schützenswert unsere natürliche Umwelt ist. Besonders auch Jugendliche sollen durch
diesen Wettbewerb angeregt werden, mit offenen Augen durch unsere Heimat zu gehen
und ihren biologischen Reichtum zu entdecken.

Teilnahmebedingungen:
Es gibt keine Altersbeschränkung, das heißt, jeder, der nicht zur Jury gehört, kann
mitmachen. Die Anmeldung kann online über die Website des Umweltministeriums
erfolgen oder auf dem Postweg an das *Naturkundemuseum Brandenburg*.
Die Fotos sollten mit einer Notiz über Aufnahmeort und Aufnahmedatum digital als
jpg-Dateien eingeschickt werden. Selbstverständlich müssen Sie Urheber/-in des Bildes
sein und dürfen keine Rechte Dritter verletzen. Der Rechtsweg ist ausgeschlossen.

Kriterien für die Entscheidung:

Entschieden wird über die künstlerische Qualität des Fotos und die Besonderheit des Motivs. Die Gewinnerfotos werden von September bis Dezember in einer Sonderausstellung des Museums *Flora und Fauna* gezeigt.

Preise:

Der erste Preis ist ein Wochenende für zwei Personen mit Hotel und Halbpension im *Naturpark Burgenstein*. Der zweite Preis ist ein Wochenendseminar *Naturfotografie* und der dritte Preis ein Jahresabonnement der Zeitschrift *Flora und Fauna*. Jede/-r Teilnehmer/-in erhält eine freie Eintrittskarte nach Wahl für das *Naturkundemuseum Brandenburg* oder das Museum *Flora und Fauna* in Dessau.

		richtig
1.	Ab dem 31. August können Naturfotografien ins Umweltministerium geschickt werden.	☐
2.	Ziel des Fotowettbewerbs ist es zu zeigen, dass die Natur in unserer Heimat schön ist und geschützt werden muss.	☒
3.	Der Fotowettbewerb soll besonders auch Jugendlichen die Augen öffnen für die Schätze in der Natur um sie herum.	☐
4.	In der Jury sind nur alte Leute.	☐
5.	Man kann sich nur online anmelden.	☐
6.	Auf den Fotos soll stehen, wo und wann sie gemacht worden sind.	☐
7.	Man muss das Foto selbst gemacht haben und darf nicht ein Foto von einer anderen Person einschicken.	☐
8.	Auch wenn man der Meinung ist, dass das eigene Foto das beste ist, darf man nicht vor Gericht gehen und die Jury verklagen.	☐
9.	Die Jury beschäftigt sich nur mit Fotos, die eine gute Qualität und ein besonderes Motiv haben.	☐
10.	Die Fotos, die einen Preis gewonnen haben, kann man von September bis Dezember im Museum Flora und Fauna anschauen.	☐
11.	Der/Die Fotograf/-in auf dem dritten Platz bekommt ein Jahr lang jeden Monat die Zeitschrift Flora und Fauna kostenlos zugeschickt.	☐
12.	Zusätzlich bekommt jeder, der einen Preis erhalten hat, noch eine freie Eintrittskarte für eines der beiden Museen.	☐

1 b) Ein Lehrer des Goethe-Gymnasiums in Dessau hat mit seiner Arbeitsgruppe
Fotografie an dem Wettbewerb teilgenommen. Er schickt die Fotografien
seiner Schüler/-innen ein und berichtet in einem Begleitbrief über den Verlauf
des Projekts. Markieren Sie die Stellen, die wegen einer Wiederholung
stilistisch nicht gut klingen.

Sehr geehrte Jury,

mit Freude habe ich vor einigen Wochen Ihre Ausschreibung zum Fotowettbewerb *Natur
und wir* gelesen. Die Zielsetzung des Fotowettbewerbs *Natur und wir* passte genau zum
Lehrplan meiner Arbeitsgruppe Fotografie. Mit meiner Arbeitsgruppe Fotografie möchte
ich nicht nur das Wissen meiner Schüler/-innen zur Fotografie fördern, sondern meinen
Schülerinnen und Schülern auch genaues und aufmerksames Sehen näherbringen. Zum
genauen und aufmerksamen Sehen bietet sich natürlich in erster Linie die Natur unserer
näheren Umgebung an.
Meine Arbeitsgruppe war sofort bereit, sich an dem Fotowettbewerb zu beteiligen.
In einem ersten Arbeitsschritt hat meine Arbeitsgruppe geplant, verschiedene Themenbereiche zu verteilen. Diese verschiedenen Themenbereiche waren zum Beispiel Wald,
Feld, Garten, Wasser oder Luft.
Die Schüler/-innen haben sich mögliche Motive überlegt. Gemeinsam haben wir die
beste Technik zur Realisierung der Motive erarbeitet. Schließlich hatten die Schüler/
-innen zwei Wochen Zeit für die Fotografien. Die letzten Stunden vor der Einsendung
haben wir gemeinsam die Fotografien angeschaut, beurteilt, Verbesserungsvorschläge
gemacht und sie am Computer vorsichtig bearbeitet.
Die Ergebnisse haben mich positiv überrascht, weil die Ergebnisse zum Teil wirklich
beeindruckend waren. Die Auswahl der Motive hat mir besonders gefallen. Durch
die Auswahl der Motive hat man gesehen, wie wirkungsvoll Ihre Zielsetzung war,
weil die Schüler/-innen plötzlich auf Kleinigkeiten in ihrer Umgebung geachtet haben.
Ich möchte mich nun ganz herzlich für diesen wunderbaren Fotowettbewerb bedanken
und hoffe natürlich, dass sich vielleicht jemand aus meiner Arbeitsgruppe unter den
Gewinnern dieses Fotowettbewerbs befindet.

Mit freundlichen Grüßen
Franz Altmann

1 c) Schreiben Sie den Brief jetzt noch einmal und ersetzen Sie die Wiederholungen durch die passenden Wörter im Schüttelkasten. Vorsicht: Manchmal müssen Sie die Positionen der Wörter ein wenig verändern.

Dazu • sie • seinen • Dadurch • ~~Dessen~~ • ihnen • Diese • sie • deren • sie • ihr

Sehr geehrte Jury,

mit Freude habe ich vor einigen Wochen Ihre Ausschreibung zum Fotowettbewerb *Natur und wir* gelesen. *Dessen* Zielsetzung passte genau zum Lehrplan meiner Arbeitsgruppe Fotografie. _____

_____

_____

_____

_____

_____

_____

_____

_____

_____

_____

_____

_____

_____

_____

_____

_____

_____

_____

C2 Grundlegende Spielregeln von Schach

2 a) Lesen Sie die Spielregeln und beantworten Sie die Fragen zum Spiel.

Das Spiel
Schach ist ein Brettspiel und
wird von zwei Personen gespielt.
Ein Spieler hat 16 schwarze, der
andere 16 weiße Figuren. Acht Figuren sind Bauern, außerdem gibt es zwei Türme, zwei
Läufer, zwei Springer, eine Dame und einen König.
Das Brett hat schwarze und weiße Quadrate im Wechsel, insgesamt 64. Um die
Positionen bestimmen zu können, werden die horizontalen Reihen mit den Zahlen von
eins bis acht bezeichnet und die vertikalen mit Buchstaben von A bis H.
Der Spieler mit den weißen Figuren beginnt.

Das Ziel des Spiels
Ziel ist es, seinen Gegenspieler matt zu setzen. Schachmatt bedeutet, dass der
gegnerische König keinen Zug mehr tun kann, ohne geschlagen zu werden. Er ist
gefangen und kann nicht mehr von anderen Figuren verteidigt werden.

Die Aufstellung
In der ersten Reihe stehen die einzelnen Figuren. Ganz rechts außen steht ein Turm,
daneben ein Springer, dann kommt ein Läufer, dann der König, die Dame, wieder ein
Läufer, ein Springer und am Ende ein Turm. Wichtig ist, dass die weiße Dame auf einem
weißen Feld und die schwarze Dame auf einem schwarzen Feld steht. In der zweiten
Reihe sind alle Bauern aufgestellt. Der Gegenspieler positioniert seine Figuren genauso
auf der gegenüberliegenden Seite.

Die Bewegungen der einzelnen Figuren
Der Turm geht horizontal oder vertikal über das Spielfeld, der Läufer bewegt sich
diagonal. Die Dame darf wie der Turm und wie der Läufer gehen, hat also die
meisten Möglichkeiten, sich zu bewegen. Allerdings darf auch sie keine andere Figur
überspringen.
Der Springer geht zwei Felder zur Seite und eins nach vorne, oder ein Feld zur Seite und
zwei nach vorne. Er ist die einzige Figur, die andere Figuren überspringen darf.
Der König zieht auf alle benachbarten freien Felder, auf denen er nicht von einer
gegnerischen Figur geschlagen werden kann. Mehr als ein Feld darf er sich nicht
weiterbewegen.

Ein Bauer geht immer geradeaus ein Feld nach vorne, er darf als einzige Figur nie zurückgehen. Beim ersten Spielzug kann der Bauer auch zwei Felder nach vorne bewegt werden. Steht eine feindliche Figur schräg vor ihm, kann er sie schlagen. Wenn ein Bauer die hinterste Linie des Spielfelds erreicht, darf sein Besitzer ihn gegen eine geschlagene andere Spielfigur, zum Beispiel einen Springer, austauschen.

Spielverlauf

Die Spieler machen abwechselnd je einen Spielzug, mit dem sie jeweils eine Figur auf ein anderes Feld bewegen. Wenn auf diesem Feld eine gegnerische Figur steht, wird sie geschlagen, das heißt sie wird vom Spielfeld entfernt. Durch einen strategisch gut geplanten Spielaufbau wird der gegnerische König allmählich eingekreist, bis er sich nicht mehr bewegen kann.

1. Wie heißen die 16 Figuren beim Schach?

2. Welcher der beiden Spieler beginnt?

3. Wie geht die Dame über das Spielfeld?

4. Was darf der Springer als einzige Figur machen?

5. Wie zieht man mit dem König?

6. Was darf der Bauer als einzige Figur nie machen?

7. Was darf man mit einem Bauern machen, der die hinterste Linie des Spielfelds erreicht hat?

8. Was heißt es, eine Figur zu schlagen?

9. Was heißt es, wenn der Gegner schachmatt ist?

2 b) Lesen Sie den folgenden Text über die Geschichte des Schachspiels und kreuzen Sie an: Was ist richtig?

Geschichte des Schachs

Es gibt zahlreiche Geschichten darüber, wann und wo das Schachspiel entstanden ist. Die meisten Schachhistoriker denken, dass das Spiel um 500 nach Christus im Nordwesten Indiens begonnen hat sich zu verbreiten, aber auch Persien oder China werden als mögliche Ursprungsländer genannt. Das Schachspiel, wie es heute gespielt wird, ist eine Komposition aus den verschiedensten Regeln, Symbolen und Charakteristiken sowohl der östlichen als auch der westlichen Kulturen.

Einen ersten großen Erfolg feierte das Schachspiel in der arabischen Welt im achten und neunten Jahrhundert, was viele Quellen in Literatur und Poesie zeigen. Auf verschiedenen Wegen gelangte das Schachspiel nach Europa. Über Konstantinopel kam Schach nach Russland, die Mauren brachten es nach Spanien.

Im Mittelalter zählte Schach unter anderem neben Reiten und Schwimmen zu den sieben Künsten der Ritter. Zu dieser Zeit wurde Schach jedoch viel langsamer gespielt, die Figuren waren in ihren Bewegungen nicht so frei wie heute.

Die Kirche war sich in ihrer Beurteilung des Spiels nicht ganz sicher. Einige Kirchenoberen spielten selbst Schach, andererseits wurde das Spiel zum Beispiel 1310 in Trier verboten, da man befürchtete, dass es süchtig mache. Schließlich setzte sich das Spiel durch und man sah im Schach sogar ein Bild der göttlichen Weltordnung.

Parallel zur geschichtlichen Entwicklung im Europa des 15. Jahrhunderts veränderte sich auch das Schachspiel. So, wie neue Kontinente durch die Seefahrt entdeckt wurden und Erfindungen das Leben der Menschen und ihre Weltsicht veränderten, wurde auch Schach zu einem schnelleren und dynamischeren Spiel. Die neuen Regeln ließen Schach im 16. Jahrhundert eine neue Blütezeit erleben. Schachbücher wurden geschrieben und die Theorien über mögliche Eröffnungen des Spiels oder bestimmte Spielzüge wurden zu einer Wissenschaft.

Im 19. Jahrhundert entwickelte sich Schach in Europa zum Lieblingsspiel der Bürger. Es kam zu ersten offiziellen Schachwettkämpfen, es erschien erstmals die *Deutsche Schachzeitung* und 1886 wurde die erste Schachweltmeisterschaft veranstaltet.

Schach ist ein Spiel, das nichts von seiner Faszination verloren hat. Bis heute wird es von den Menschen in der ganzen Welt unabhängig von Alter, Geschlecht oder sozialem Status mit Begeisterung gespielt.

		richtig
1.	Schach ist ein Spiel aus dem östlichen Kulturkreis, das es lange Zeit nur in Indien gab.	☐
2.	Schach ist eine Mischung von Elementen aus den östlichen und den westlichen Kulturen.	☒
3.	In arabischen Gedichten aus dem achten und neunten Jahrhundert wird oft über Schach geschrieben.	☐
4.	Im Mittelalter konnten die Ritter zwar nicht reiten oder schwimmen, aber sie konnten gut Schach spielen.	☐
5.	Die Figuren wurden damals nicht über mehrere Felder bewegt, deshalb dauerte ein Spiel viel länger.	☐
6.	Manchmal wurde Schach von der Kirche sogar verboten, weil sie dachte, dass es die Menschen abhängig machte.	☐
7.	Ab dem 15. Jahrhundert wurden auf den neuen Kontinenten auch neue Schachspiele entdeckt.	☐
8.	Wegen der neuen Regeln wusste lange Zeit niemand mehr, wie man Schach spielte.	☐
9.	Das europäische Bürgertum spielte im 19. Jahrhundert sehr gerne Schach.	☐
10.	1886 plante die Deutsche Schachzeitung die erste Schachweltmeisterschaft.	☐
11.	Egal, ob junge oder alte Menschen, ob Frauen oder Männer oder ob arme oder reiche Leute – alle spielen bis heute gern Schach!	☐

D Film und Fernsehen

D1 Ankündigung einer neuen Fernsehserie

1 a) Lesen Sie den Ankündigungstext in einer Fernsehzeitung und verbinden Sie die passenden Satzteile der Kurzbeschreibung.

Von der Spree ins Allgäu

Endlich läuft sie an, die lang erwartete neue Kultserie aus deutscher Produktion. Bereits während die erste Staffel gedreht wurde, gab es die ersten kleinen Skandale um die Hauptdarsteller Wenzel Hagestedt und Janine Rieß, die sich nicht mit dem üblichen Soap-Niveau abfinden wollten und eigene Drehbuchvorschläge machten.

Die Fan-Gemeinde verfolgte gespannt die wechselnden Stimmungen ihrer Stars auf Twitter und schimpfte im Chor auf den Regisseur. Hagestedt twitterte beruhigende Worte, dann herrschte wieder eitel Sonnenschein vor der Kamera und bei den Fans. Mehr PR kann sich eine Serie schon vor ihrem Start nicht wünschen. Ein Millionenpublikum wird am Samstagabend zur besten Sendezeit das Schicksal des jungen Barkeepers Matze aus einem hippen Berliner Szene-Lokal verfolgen, den die Liebe ins Allgäu treibt, in ein Dorf in den Bergen. In einer Nacht in einem Club hatte er sich Hals über Kopf in Babsi verliebt, eine junge Kellnerin, die ein freies Wochenende in Berlin verbrachte, um dort mal eine richtige Großstadt zu erleben. Sie ist so erfrischend anders als Matzes übliche Freundinnen. So beschließt er, der Coolness und beginnenden Langeweile zu entfliehen und mit ihr ein ganz anderes Leben zu erproben. Wie anders das ist und was er sich damit vorgenommen hat, überrascht ihn täglich aufs Neue ...

Auf das traditionelle soziale Miteinander in Babsis Heimatdorf wirkt ihr neuer Freund wie ein Erdbeben. Schon bald gibt es geteilte Lager. Die einen begrüßen Matze als den lang ersehnten frischen Wind in ihrem Dorf, und die anderen sehen Sitte und Moral bedroht. Wortwitz und Situationskomik zeichnen die Dialoge aus, die zu den erstaunlichsten Missverständnissen führen, wenn Berliner und Allgäuer Dialekt aufeinandertreffen.

Bemerkenswert ist allerdings auch die hervorragende Kamera, der es gelingt, sowohl die Berliner Szene authentisch einzufangen als auch die umwerfende Schönheit der Allgäuer Natur zu zeigen, der sich auch das Großstadtkind Matze nicht entziehen kann. Die Programmdirektion hofft auf beste Einschaltquoten nächsten Samstag um 20.15 Uhr. Man darf gespannt sein!

1. Ein deutscher Regisseur dreht eine neue Serie,
2. Die Schauspieler wollten das Drehbuch verändern,
3. Die Hauptdarsteller brachten ihre Probleme durch Twitter in die Öffentlichkeit,
4. Wegen der Streitigkeiten wurde schon viel in den Medien berichtet,
5. Babsi kommt aus dem Allgäu und verbringt ein paar Tage in Berlin,
6. Der Hauptdarsteller, Matze, stammt aus Berlin und zieht ins Allgäu,
7. Das Leben in dem Dorf im Allgäu ist völlig anders
8. Die Leute im Dorf reagieren unterschiedlich auf den jungen Mann,
9. Die Dialoge sind witzig und oft ist es sehr komisch,
10. Die Bilder in der Serie werden gelobt,
11. Die Serie gilt schon jetzt als neue Kultserie,

a) deshalb gab es anfangs viel Streit mit dem Regisseur.
b) als Matzes bisheriges Leben in Berlin.
c) um in der Nähe seiner neuen Freundin zu sein.
d) weil sie sowohl die Berliner Szene authentisch zeigen als auch die schöne Natur im Allgäu.
e) die schon lange vom Publikum erwartet wird.
f) was natürlich gute Werbung für die Serie ist.
g) wenn es zu Missverständnissen wegen der unterschiedlichen Dialekte kommt.
h) weshalb für den Serienstart am Samstagabend mit hohen Einschalt-quoten gerechnet wird.
i) sodass sich ihre Fans an der Diskussion beteiligen konnten.
j) teils mit Ablehnung und teils mit Begeisterung.
k) wo sie in einem Club Matze kennenlernt.

1.	2.	3.	4.	5.	6.	7.	8.	9.	10.	11.
e)										

1 b) Nach der ersten Folge der Serie erscheinen die ersten Leserbriefe in der Fernsehzeitung. Ergänzen Sie die Lücken mit den Wörtern im Schüttelkasten.

Die erste _Folge_ der Serie *Von der Spree ins Allgäu* hat die beste _____

am Samstag absolut _____ . Wenzel Hagestedt als Matze _____mit

viel Witz und Charme den _____ , der sich auf das Abenteuer

_____ einlässt. Sehr komisch sind die _____ im Club, wo Babsi, mit

ihrer _____ und ihrer etwas naiven _____für die

coolen Berliner, auf Matze trifft. Die beiden _____ sich ineinander und sind

sehr bemüht, _____ zu verstehen, was nicht immer _____ . Auch die

_____ sind gut besetzt. Endlich wieder eine _____ , auf die man

sich eine ganze Woche lang _____ kann!
(Katrin S., Kempten)

> Natürlichkeit • verdient • einzuschalten • schwach • Sendezeit • freuen •
> Chance • Klischee • Folgen • spielt • verlieben • Bewunderung • überzeugenden •
> Persönlichkeit • stellt ... vor • Zeitverschwendung • gelingt • Großstädter •
> wirklich • Nebenrollen • hätte ... gedacht • Landleben • Ergebnis • Serie •
> ~~Folge~~ • Szenen • einander • wissen

Man hätte es _____ müssen. Wenn vorher schon so viel Wind um etwas gemacht

wird wie um die neue Samstagabend-Serie, dann kann das _____gar nicht

gut sein. Aber dass es so schlecht wird, _____ ich nicht _____ .

Ein _____ reiht sich an das andere. Wie _____ sich der Nicht-Berliner

die Berliner Szene _____? Sicherlich nicht so, wie sie _____ ist. Auch

Babsis Rolle des naiven Mädchens vom Land bleibt _____ , da entwickelt sich

keine lebendige _____ . Die einzigen _____

Dialoge sind die, in denen Berlinerisch auf Allgäuerisch trifft, aber das Repertoire ist

begrenzt, mehr als drei _____lassen sich damit nicht schreiben. Eine

_____ gebe ich der Serie nächsten Samstag noch, aber wenn es so bleibt, ist

es reine _____ , den Fernseher _____ .

(Marcel W., Potsdam)

D2 Filmkritik zu *Ziemlich beste Freunde*

2 a) Ordnen Sie die einzelnen Teile dieser Filmkritik in ihrer richtigen
Reihenfolge an.

1.	2.	3.	4.	5.	6.	7.	8.	9.	10.	11.	12.	13.
d)												

a) Eigentlich wollte Driss den Job gar nicht. Eine Unterschrift, die zeigt, dass er
   sich um Arbeit bemüht hat, hätte ihm genügt, um weiterhin Arbeitslosenhilfe zu
   bekommen.

b) Spätestens als Driss beschließt, dass Philippe nicht mit dem großen Auto für
   Behinderte, sondern durchaus mit seinem Maserati transportiert werden könne,
   fühlt dieser wieder mehr Leben in sich.

c) Auf der einen Seite Bildung, Kunst, Kultur, Leben im Luxus, auf der anderen Seite
   Wohnblock, Sozialhilfe, Kleinkriminalität und Recht des Stärkeren.

d) *Ziemlich beste Freunde,* die Geschichte einer ungewöhnlichen Freundschaft, ist
   in Frankreich zu einem der erfolgreichsten Filme aller Zeiten geworden. Auch in
   Deutschland lockte er ein Millionenpublikum in die Kinos.

e) Doch sein direktes und respektloses Auftreten ist es gerade, was Philippe gefällt.
   Er ist gewöhnlich von Angestellten umgeben, die ihn voller Taktgefühl und Mitleid
   verwöhnen.

f) Allein wegen dieser beiden Schauspieler lohnt es sich, den Film anzuschauen.

g) Das vermittelt Philippe das Gefühl, wie ein normaler Mensch behandelt zu werden,
   ohne falsche Rücksichtnahme.

h) Driss, ein junger Arbeitsloser senegalesischer Abstammung aus der Banlieue von
   Paris wird von einem reichen adligen Unternehmer, der seit einem Unfall beim
   Paragliding vom Hals abwärts gelähmt ist, als Pfleger engagiert.

i) Andererseits lernt Driss auch, Verantwortung zu übernehmen und pausenlos für
   jemanden da zu sein. Schließlich schafft er es auf seine unkonventionelle Weise,
   Philippe über starke Schmerzattacken zu helfen, indem er ihm Marihuana zu
   rauchen gibt.
   Der Film lebt von dem Gegensatz der zwei Protagonisten:

j) François Cluzet gelingt es, nur durch Mimik und Stimme zu überzeugen, was in
   faszinierendem Gegensatz zu der Kraft, Energie und Fröhlichkeit des Spiels von
   Omar Sy steht.

k) Driss dagegen testet neugierig, ob Philippes gelähmte Beine tatsächlich kein kochend heißes Wasser spüren, und beim Mittagessen landet der Löffel schon einmal in Philippes Auge statt in seinem Mund, weil Driss sich mehr auf die hübsche Sekretärin konzentriert als auf das Essen seines Chefs.

l) Das Aufatmen, das folgt, wenn klar wird, wie positiv diese Tabubrüche dennoch meist bei Philippe ankommen, verursacht eine ganz eigene Spannung, ohne dass viel Action oder große Handlungsschritte nötig wären.
Der Film ist von beiden Hauptdarstellern eine großartige schauspielerische Leistung.

m) Wie sich Menschen aus zwei so verschiedenen Welten nicht nur treffen, sondern auch Freunde werden können, fasziniert und vermittelt ein warmes Gefühl von purer Lebensfreude.
Dazu kommen die Momente, in denen der Zuschauer den Atem anhält, weil Driss sich gerade wieder fröhlich und unbekümmert über Grenzen hinwegsetzt.

2 b) Antworten Sie auf die Fragen und orientieren Sie sich dabei an der Filmkritik aus 2a).

1. Was für einen Erfolg hatte der Film *Ziemlich beste Freunde* in Frankreich?

_____

_____

_____

2. Womit beginnt die Geschichte?

_____

_____

_____

3. Warum möchte Driss die Stelle eigentlich gar nicht?

_____

_____

_____

4. Wer kümmert sich normalerweise um Philippe?

_____

_____

_____

5. Was macht Philippe großen Spaß und gibt ihm das Gefühl, lebendig zu sein?

_____

_____

_____

6. Was lernt Driss in dieser Beziehung zu Philippe?

_____

_____

_____

7. Was zeichnet die verschiedenen Welten der beiden Hauptdarsteller aus?

_____

_____

_____

8. Was macht die ganz eigene Spannung des Films aus?

_____

_____

_____

9. Was ist die große schauspielerische Leistung von François Cluzet?

_____

_____

_____

D3 Karriere einer Schauspielerin

3 a) Lesen Sie die Lebensbeschreibung der Schauspielerin Carolin Walters und ergänzen Sie die Lücken mit den Wörtern aus dem Schüttelkasten.

Abschluss • Auseinandersetzungen • begann • besaß • besuchte • Ehe • Einsatz • engagierte • erhielt • erwarteten • ~~geborene~~ • gelang • Gymnasium • heiratete • Leidenschaft • Platzanweiserin • Rollen • später • Taschengeld • übernehmen • verließ • Welt • wiederholen • zog

Die deutsch-österreichische Schauspielerin Carolin Walters, *geborene* Moser, kam

am 04.11.1951 in Wien zur _____ (1.). Ihr Vater, Herbert Moser, _____ (2.) eine

traditionsreiche Konditorei. Er hatte in zweiter _____ (3.) die Deutsche Rebecca Winter

geheiratet. Aus erster Ehe stammt die Tochter Isabel, die später die Konditorei

_____ (4.) sollte.

Carolin _____ (5.) in Wien Grundschule und Gymnasium, wo sie

sich in der schuleigenen Theatergruppe _____ (6.). Carolins

_____ (7.) galt von Kindheit an dem Theater. Sie gab ihr ganzes

_____ (8.) für Theaterkarten aus, bis es ihr gelang, einen Schülerjob

als _____ (9.) im Burgtheater zu bekommen. Eher schwach war

ihr _____ (10.) in der Schule, weshalb sie zweimal eine Klasse

_____ (11.) musste.

Im Alter von 18 Jahren, kurz vor Carolins Matura (dem österreichischen Abitur),

_____ (12.) ihre Schwester Isabel einen US-Amerikaner und ging mit

ihm nach Washington. Nun _____ (13.) die Eltern, dass Carolin eine

Konditorenlehre machte, um _____ (14.) die Konditorei zu übernehmen. Es kam

zu heftigen _____ (15.), in deren Folge Carolin

das Elternhaus _____ (16.) und zu einer Tante nach Stuttgart zog.

Hier schloss sie 1972 das _____ (17.) mit dem Abitur ab und

_____ (18.) ihr Studium an der Hochschule für Musik und Theater in Stuttgart.

Nach zwei Jahren _____ (19.) es ihr, an der Otto-Falckenberg-Schule in München

aufgenommen zu werden. Sie brach ihr Studium in Stuttgart ab und _____ (20.) nach

München.

Bereits während ihres ersten Schuljahres _____ (21.) sie mehrere Engagements

an kleineren Theatern in München und nach _____ (22.) der Schauspiel-

schule hatte sie bereits ein großes Repertoire an _____ (23.) vorzuweisen.

In dem Fernsehfilm *Grenzenlose Liebe* erhielt Carolin Moser 1980 ihre erste Filmrolle.

ausgezeichnet • deutschsprachigen • Dreharbeiten • folgenden • folgte • Gastspiele • gemeinsamer • plötzliches • Sprung • Unfall • verbrachte • Verfilmung • zukünftigen

Danach _____ (24.) sie einem Engagement ans Hamburger Staatstheater, wo sie

bis 1992 arbeitete. In diese Zeit fiel auch die Produktion mehrerer Kinofilme. Bei den

_____ (25.) zu *Am grünen Fluss* lernte sie ihren

_____ (26.) Mann kennen, den Regisseur Tim Walters. Sie heirateten

1989 und im September 1991 wurde ihr _____ (27.) Sohn Felix geboren.

1993 gelang Carolin Walters der _____ (28.) nach Hollywood. In den

_____ (29.) Jahren stieg sie zu einer der führenden Charakter-

darstellerinnen von Hollywood auf und wurde mit über 30 internationalen Film- und

Festivalpreisen _____ (30.). Für ihre Darstellung der *Jane* in

Will Benders _____ (31.) von *Jane's Town* (2001) erhielt sie einen Oscar.

Die Familie lebte in Los Angeles, allerdings _____ (32.) Carolin Walters auch

immer wieder Zeit in den _____ (33.) Ländern und gab

_____ (34.) an verschiedenen großen Theatern. 2008 setzte ein tragischer

_____ (35.) dem Leben dieser großartigen Schauspielerin ein

_____ (36.) Ende. Ihr Mann und ihr Sohn leben weiterhin in Los Angeles.

3 b) Lesen Sie die Fragen und kreuzen Sie an: Was ist richtig, was ist falsch?

		richtig	falsch
1.	Als Kind war Carolins Familienname Moser.	☒	☐
2.	Carolin wurde in Deutschland geboren, in Wien.	☐	☐
3.	Carolins Vater war früher schon einmal verheiratet gewesen und hatte aus dieser Ehe eine Tochter.	☐	☐
4.	Carolin spielte bereits während ihrer Schulzeit viel Theater.	☐	☐
5.	Sie durfte sogar schon im Burgtheater in Wien Theater spielen.	☐	☐
6.	In der Schule war Carolin immer sehr gut.	☐	☐
7.	Kurz vor Carolins Schulabschluss ging ihre Schwester in die USA.	☐	☐
8.	Carolins Eltern wollten, dass sie Konditorin wird.	☐	☐
9.	Ihre Eltern haben sie nach Stuttgart zu einer Tante geschickt, damit sie dort eine Konditorenlehre macht.	☐	☐
10.	Carolin hat an der Hochschule für Musik und Theater studiert, allerdings nach zwei Jahren ihr Studium abgebrochen.	☐	☐
11.	Nach Abschluss der Otto-Falckenberg-Schule spielte sie an kleineren Münchner Theatern.	☐	☐
12.	Bis 1992 spielte Carolin am Hamburger Staatstheater.	☐	☐
13.	Tim Walters war der Regisseur des Films *Am grünen Fluss* und wurde 1989 ihr Ehemann.	☐	☐
14.	Anfang der neunziger Jahre machte sie Karriere in Hollywood.	☐	☐
15.	Carolin lebte in Deutschland, Österreich und der Schweiz und ihr Mann und ihr Sohn lebten in Los Angeles.	☐	☐

E

E Erziehung und Lernen

E1 Zweisprachige Erziehung von Kindern

1 a) Lesen Sie den Beitrag in der Zeitschrift „Pädagogischer Ratgeber für Eltern" über zweisprachige Kindererziehung. Setzen Sie die fehlenden Textbausteine in die Lücken ein.

a) Sie empfinden es als völlig normal, mit der Mutter eine andere Sprache als mit dem Vater zu sprechen, oder zu Hause eine andere Sprache als in der Kinderkrippe zu verwenden.

b) Dann kann es besser sein, dass in der Sprache, die alle am besten können, kommuniziert wird.

c) Tatsächlich gibt es kaum Grenzen, allerdings muss eine wirklich enge persönliche Bindung zu der Person bestehen, die diese Sprache vermittelt.

d) Trotzdem wird es immer wieder zu Situationen kommen, in denen diese Konsequenz nicht eingehalten werden kann.

e) Die verschiedensten sprachwissenschaftlichen Untersuchungen ergeben jedoch, dass alle diese Befürchtungen meist nicht der Realität entsprechen.

f) Häufig wird schließlich eine Sprache besser beherrscht als die andere oder bestimmte Themenbereiche können kompetenter in einer der beiden Sprachen behandelt werden.

g) In so einem Fall sollte man dennoch konsequent weiter diese Sprache verwenden, um wenigstens die passiven Sprachfähigkeiten zu erhalten.

h) Hier muss aber dem Kind bewusst gemacht werden, warum man nicht bei der gewohnten Sprachregelung bleibt.

1.	2.	3.	4.	5.	6.	7.	8.
e)							

„Mein Kind wird keine Sprache gut sprechen können oder zumindest sehr spät mit dem Sprechen beginnen. Es besteht die Gefahr, dass sich Sprachfehler entwickeln oder die beiden Sprachen ständig vermischt werden."
Solche Ängste oder Sorgen haben oft Eltern, die vor der Entscheidung oder Notwendigkeit stehen, ihre Kinder zweisprachig aufwachsen zu lassen.

1. _____

_____

_____

Im Gegenteil: Je früher Kinder sich mit einer weiteren Sprache beschäftigen, umso besser entwickelt sich ihr Gefühl für Sprachen und umso größer ist ihr Interesse an Sprachen und anderen Kulturen.
Ein- und zweijährigen Kindern ist ihre Zweisprachigkeit selbst gar nicht bewusst.

2. _____

_____

_____

Erst allmählich realisieren sie in ihrem Umfeld, dass es auch Kinder gibt, die nur eine Sprache sprechen können.
Das kann zur Folge haben, dass sie sich zeitweise der anderen Sprache, die nicht im Lebensumfeld gesprochen wird, verschließen und sie zwar verstehen, aber nicht selbst sprechen wollen.

3. _____

_____

_____

Möglicherweise entschließt sich dann auch das Kind nach einer gewissen Phase, selbst wieder in dieser Sprache zu kommunizieren.
Generell sollten Eltern, die zwei verschiedene Sprachen sprechen, konsequent bei ihrer Sprache bleiben.

4. _____

_____

_____

So zum Beispiel im Kontakt mit Personen, die diese Sprache nicht sprechen und es als unhöflich empfinden, wenn eine „Geheimsprache" benutzt wird.

5. _____

_____

_____

Schwieriger ist es, wenn ein Elternteil die Sprache des anderen nicht gut oder gar nicht beherrscht und somit keine einheitliche gemeinsame Kommunikation in der Familie entstehen kann oder ständig übersetzt werden muss.

6. _____

_____

_____

Normalerweise vermischen Kinder, die sprechen lernen, anfangs die Wörter beider Sprachen. Mit etwa drei Jahren lernen sie aber, die Sprachen zu trennen. Auch kann es passieren, dass diese Kinder etwas später mit dem Sprechen beginnen, was aber in der Gesamtentwicklung spätestens mit neun oder zehn Jahren ausgeglichen ist. Wichtig ist es in jedem Fall, den Kindern viele Sprechanlässe und genügend Sprach-Input zu geben.

7. _____

_____

_____

Nun ergibt sich die Frage, wie viele Sprachen das Gehirn eines Kindes verarbeiten kann. Mehr als zwei?

8. _____

_____

_____

Und das sind selten mehr als zwei, höchstens drei Personen.

1 b) Verbinden Sie die Sätze aus dem Text mit den Sätzen, die dieselbe Bedeutung haben.

1.	2.	3.	4.	5.	6.	7.	8.	9.	10.
e)									

Text:

1. Es besteht die Gefahr, dass sich Sprachfehler entwickeln ...

2. ..., dass alle diese Befürchtungen meist nicht der Realität entsprechen.

3. Ein- und zweijährigen Kindern ist ihre Zweisprachigkeit selbst gar nicht bewusst.

4. Erst allmählich realisieren sie in ihrem Umfeld, ...

5. ..., dass sie sich zeitweise der anderen Sprache verschließen ...

6. Hier muss aber dem Kind bewusst gemacht werden, warum man nicht bei der gewohnten Sprachregelung bleibt.

7. ..., wenn ein Elternteil die Sprache des anderen nicht gut oder gar nicht beherrscht ...

8. Wichtig ist es in jedem Fall, den Kindern viele Sprechanlässe und genügend Sprach-Input zu geben.

9. ... bestimmte Themenbereiche können kompetenter in einer der beiden Sprachen behandelt werden.

10. ..., allerdings muss eine wirklich enge persönliche Bindung zu der Person bestehen, die diese Sprache vermittelt.

Bedeutung:

a) Kleine Kinder merken noch gar nicht, dass sie zwei verschiedene Sprachen sprechen.

b) Manchmal wollen diese Kinder die zweite Sprache nicht mehr sprechen.

c) Man muss dem Kind erklären, warum man jetzt ausnahmsweise nicht die gewohnte Sprache spricht.

d) Es ist wichtig, dass man viel mit den Kindern spricht, sie etwas fragt oder ihnen etwas erzählt.

e) Vielleicht stottert mein Kind oder hat eine schlechte Aussprache.

f) Über manche Dinge können zweisprachige Kinder besser in einer Sprache reden, zum Beispiel über schulische Dinge in der Sprache, die in der Schule gesprochen wird.

g) Die Eltern brauchen sich keine Sorgen zu machen, das passiert selten.

h) Das Kind muss zu der Person, von der es eine Sprache lernt, eine enge Beziehung haben.

i) Das heißt, dass zum Beispiel der Vater die Sprache der Mutter nicht gut oder gar nicht sprechen kann.

j) Sie merken erst langsam an den Menschen, mit denen sie sprechen, ...

E2 Tipps zur Konzentrationsförderung

2 a) **Lesen Sie das Interview zum Thema Konzentrationsstörungen in der Zeitschrift „Studium & Co." und ordnen Sie die korrekten Antworten den Fragen zu.**

Stud. & Co.: Frau Professor Goldberg, wie oft sind Sie in Ihrem Institut für Lernförderung mit einer Problematik rund um das Thema Konzentration beschäftigt?

Prof. Goldberg: 1. c)

Stud. & Co.: Für unsere Leserinnen und Leser ist das, gerade zur Zeit ihres Studiums, auch ein Hauptthema. Woran liegt es, wenn man sich schlecht konzentrieren kann?

Prof. Goldberg: 2. ☐

Stud. & Co.: Aber Angst oder keine Lust, das hat doch jeder mehr oder weniger?

Prof. Goldberg: 3. ☐

Stud. & Co.: Gibt es Techniken, die ich erlernen kann, um meinen Gefühlen nicht ausgeliefert zu sein?

Prof. Goldberg: 4. ☐

Stud. & Co.:	Könnten Sie unseren Leserinnen und Lesern einige grundlegende Tipps geben?
Prof. Goldberg:	5. ☐
Stud. & Co.:	Wie soll der Arbeitsplatz aussehen?
Prof. Goldberg:	6. ☐
Stud. & Co.:	Sie erwähnen das Gehirn – was braucht mein Gehirn noch, um das leisten zu können, was ich von ihm erwarte?
Prof. Goldberg:	7. ☐
Stud. & Co.:	Besonders schwierig wird es, wie wir alle wissen, in Zeiten von großem Stress. Je mehr die Zeit drängt, desto weniger kann man sich oft konzentrieren, was alles nur noch schlimmer macht – ein Teufelskreis. Was kann man dagegen unternehmen?
Prof. Goldberg:	8. ☐
Stud. & Co.:	Wie kann ich meine Motivation erhalten? Oft sieht man ja einen Berg vor sich und denkt: „Das schaffe ich nie!"
Prof. Goldberg:	9. ☐
Stud. & Co.:	Frau Professor Goldberg, das war ein guter Abschlusssatz. Ich danke Ihnen für das Gespräch.

a) Natürlich, doch die Frage ist, wie weit man diesen Gefühlen nachgibt.

b) Man muss sich am Arbeitsplatz wohlfühlen können, dazu gehört in erster Linie gutes Licht, nicht zu dunkel, aber auch nicht zu hell, und ein bequemer Stuhl, auf dem man gut im Gleichgewicht in gerader Haltung sitzen kann. Selbstverständlich ist auch Sauerstoff enorm wichtig für die Gehirntätigkeit, also sollte man alle dreißig Minuten einmal das Fenster öffnen und lüften.

~~c)~~ Sehr häufig. Das Problem, sich nicht konzentrieren zu können, betrifft alle Altersklassen und hat schwerwiegende Konsequenzen für Erfolg oder Misserfolg im Leben.

d) Ja, wir arbeiten in erster Linie mit solchen Techniken, da das meist genügt, um nicht so tief gehende Konzentrationsprobleme zu lösen. Wenn das nicht reicht, ist eine intensivere Behandlung beim Therapeuten nötig.

e) Es braucht regelmäßige Pausen. Bereits nach zwanzig Minuten lässt die Konzentrationsfähigkeit nach. Eine kleine Pause, und schon geht es mit voller Leistungsfähigkeit wieder weiter. Dazu muss man natürlich genug schlafen, gesund sein und möglichst keine emotionalen Probleme haben, denn sonst wird es wirklich schwierig, seine Gedanken unter Kontrolle zu behalten. Und ich kann meinem Gehirn die richtige Nahrung geben, das heißt alles, was Glucose zum Inhalt hat: viel Obst und Gemüse, vielleicht zum Frühstück ein Müsli mit Apfel und Nüssen, das ist eine gute Grundlage. Regelmäßig ein bisschen Sport zu treiben, ist ein sehr guter Ausgleich für die sitzende Tätigkeit. Die erhöhte Durchblutung bringt Sauerstoff ins Gehirn. Beim Sport kann ich auch trainieren, wie man sich auf eine Sache konzentriert und eine Tätigkeit länger durchhält.

f) Gut für die Motivation ist, sich kleine, realistische Ziele zu setzen und sich zu loben und zu belohnen, wenn man diese einzelnen Schritte geschafft hat. Die „Taktik der kleinen Schritte" ist das beste Mittel gegen die Frustration. Und ich muss mir Fehler erlauben, denn diese sind für jeden Lernprozess ganz wichtig. Jeder Fehler bringt mich auch wieder ein bisschen weiter!

g) Dafür gibt es die verschiedensten Auslöser. Hauptsächlich ist diese Blockade zurückzuführen auf Angst davor, eine Situation wie zum Beispiel eine Prüfung nicht bestehen zu können, oder Unlust, sich mit einem Thema auseinanderzusetzen, das einen nicht wirklich interessiert.

h) Das Wichtigste gegen Stress ist ein klarer Plan. Dinge aufzuschieben macht alles nur noch schlimmer, deshalb muss ich genau wissen, wann ich was machen will. Wenn mir etwas einfällt, was ich nicht vergessen darf, muss ich es unbedingt aufschreiben und wieder aus meinem Kopf bekommen. Es verbraucht viel zu viel Energie, sich Dinge merken zu wollen, und außerdem besetzen sie Platz im Kopf, den ich zum Arbeiten brauche. Eine goldene Regel ist, bei einer Aufgabe nicht an die anderen Aufgaben zu denken.

i) Ganz einfach, aber trotzdem von den meisten Menschen nicht beachtet, ist die Regel, dass der Arbeitsplatz frei von Ablenkungen sein sollte. Je weniger visuellen oder auditiven Einflüssen ich ausgesetzt bin, umso weniger muss ich mich bewusst gegen etwas abgrenzen. Der Schreibtisch sollte aufgeräumt sein und nur die zum Arbeiten nötigen Dinge sollten dort liegen. In meinem Arbeitszimmer sollte es ruhig sein, die Tür geschlossen. Am besten stellt man das Telefon ab und vereinbart mit Freunden oder Kollegen feste Telefonzeiten oder Besuchszeiten.

2 b) Schreiben Sie in Stichworten die wichtigsten Tipps zu den Punkten links in der Tabelle auf.

1. Gründe für Konzentrationsstörungen:	*Angst oder Unlust*
2. Möglichkeit, durch Techniken Konzentrationsprobleme zu lösen:	
3. Gestaltung des Arbeitsplatzes:	
4. Bedürfnisse des Gehirns für gute Arbeitsleistung:	
5. Umgang mit Stress:	
6. Steigerung der Motivation:	
7. Mittel gegen Frustration:	

E3 Das deutsche Schulsystem

3 a) Lesen Sie den folgenden Text über das deutsche Schulsystem.

Die Bildung ist in Deutschland Aufgabe der Länderregierungen. Deshalb gibt es in den verschiedenen Bundesländern oftmals unterschiedliche Regelungen.

Im Prinzip jedoch besteht das deutsche Bildungssystem aus vier Stufen, der Primarstufe, der Sekundarstufe I und der Sekundarstufe II sowie dem Tertiärbereich. Die Zeit vor der Schule, also der Kindergarten, wird nicht dazugerechnet. Erst nach dem Kindergarten beginnt der Bildungsweg der Kinder.

Für jedes Kind besteht in Deutschland Schulpflicht, das heißt, je nach Bundesland muss jedes Kind neun oder zehn Jahre lang die Schule besuchen.

Die erste Station ist die Grundschule. Die meisten Kinder kommen mit sechs Jahren in die Grundschule und besuchen sie in der Regel vier Jahre lang.

In den ersten beiden Schuljahren bekommen die Kinder keine Noten, sondern Beurteilungen ihrer Leistungen. Der Schwerpunkt des Unterrichts liegt auf Deutsch und Mathematik. Die Kinder werden normalerweise in allen Fächern von einem Lehrer unterrichtet. In der dritten und vierten Klasse bekommen die Kinder auch Noten, dabei ist 1 die beste und 6 die schlechteste Note. In der dritten Klasse erhalten sie ihren ersten Fremdsprachenunterricht in Englisch, allerdings in rein spielerischer Form.

Der Sekundarbereich I beginnt in den meisten Bundesländern nach der vierten Klasse und umfasst verschiedene Schulformen: die mehr praxisorientierte Hauptschule, die zum Hauptschulabschluss führt, die etwas höher qualifizierende Realschule, die mit der mittleren Reife abschließt, und das Gymnasium bis zur zehnten Klasse. Die weiteren – je nach Bundesland – zwei oder drei Klassen des Gymnasiums zählen zur Sekundarstufe II. Am Ende des Gymnasiums steht das Abitur, das Voraussetzung für ein Studium an einer Hochschule oder einer Universität ist.

Hat ein/-e Schüler/-in einen guten Hauptschulabschluss gemacht, kann er/sie ein weiteres Jahr die Schule besuchen und die mittlere Reife machen. Wird auch die mittlere Reife gut abgeschlossen, gibt es die Möglichkeit, die Fachoberschule zu besuchen und nach zwei Jahren ein Fachabitur beziehungsweise nach drei Jahren das allgemeine Abitur zu machen. Die Fachoberschulen unterscheiden sich durch unterschiedliche Schwerpunktfächer, die dann auch zu einem entsprechenden Fachabitur führen und ein Studium an einer Fachhochschule ermöglichen.

In einigen Bundesländern existieren auch sogenannte Gesamtschulen. Hier findet die Differenzierung innerhalb der Schule statt und nicht mehr durch das traditionelle dreigeteilte Schulsystem. Jedes Bundesland geht in der konkreten Durchführung seinen eigenen Weg, oft jedoch existieren Gesamtschulen parallel zum traditionellen System. Der Tertiärbereich, wo ein Studium oder eine berufliche Weiterbildung absolviert werden kann, umfasst Hochschulen, Universitäten, Fachhochschulen und Fachakademien. Häufig steht das deutsche Schulsystem in der Kritik. Es wird eine Abschaffung der Dreiteilung der Schulen gefordert, dazu eine bessere pädagogische Ausbildung der Lehrer und kleinere Klassen. Am meisten wird kritisiert, dass Kinder aus sozial schwachen Familien längst nicht dieselben Chancen auf eine gute Ausbildung haben wie Kinder aus sozial stärkeren Familien.

Kreuzen Sie an: Was ist richtig?

1. Die Bildung ist in Deutschland

   ☐ Aufgabe der Regierung der Bundesrepublik.

   ☒ Aufgabe der einzelnen Bundesländer.

   ☐ Aufgabe der Europäischen Union.

2. Das Bildungssystem besteht aus vier Stufen

   ☐ und beginnt mit dem Kindergarten.

   ☐ , die jeder Schüler durchlaufen muss.

   ☐ und beginnt mit der Grundschule.

3. Jedes Kind muss in Deutschland

   ☐ neun oder zehn Jahre lang die Schule besuchen.

   ☐ bis zur neunten oder zehnten Klasse in die Schule gehen.

   ☐ neun oder zehn Jahre lang in die Grundschule gehen.

4. In der Grundschule

☐ lernen die Kinder nur Deutsch und Mathematik.

☐ bekommen die Kinder vier Jahre lang nur Beurteilungen, keine Noten.

☐ werden die Kinder meistens von nur einem Lehrer unterrichtet.

5. Wenn ein Kind die Hauptschule besucht hat,

☐ geht es mit dem Hauptschulabschluss in einen praxisorientierten Beruf.

☐ kann es mit dem Hauptschulabschluss an die Universität gehen.

☐ kann es mit dem Hauptschulabschluss an die Fachoberschule gehen.

6. Mit einer guten mittleren Reife

☐ kann ein/-e Schüler/-in studieren.

☐ muss ein/-e Schüler/-in die Fachoberschule besuchen.

☐ gibt es die Möglichkeit, über die Fachoberschule auch zu einem Studium zu kommen.

7. Die Sekundarstufe II

☐ sind die letzten zwei oder drei Jahre des Gymnasiums.

☐ ist immer das Abschlussjahr der verschiedenen Schularten.

☐ gibt es nur in wenigen Bundesländern.

8. Die Gesamtschulen

☐ gibt es in jedem Bundesland in derselben Form.

☐ bieten die Möglichkeit, alle Schulabschlüsse an einer Schule zu machen.

☐ bilden den sogenannten Tertiärbereich.

9. Es gibt viel Kritik am deutschen Schulsystem,

☐ weil es keine Chancengleichheit für alle Kinder gibt.

☐ weil die Lehrer so lange in Pädagogik ausgebildet werden.

☐ weil die Klassen so klein sind.

3 b) Ergänzen Sie die folgenden Sätze. Die passenden Wörter finden Sie im Lesetext.

1. Die Bildung ist in Deutschland Aufgabe der L_änderregierungen_.

2. Der Bildungsweg der Kinder beginnt nach dem K_____ mit der

   G_____.

3. Für jedes Kind besteht in Deutschland S_____ für neun oder zehn Jahre.

4. In den ersten beiden Schuljahren bekommen die Kinder keine N_____, sondern B____

   _____ ihrer L_____.

5. In der dritten Klasse gibt es mit Englisch den ersten

   F_____.

6. Für mehr p_____ Berufe ist der

   H_____ vorgesehen.

7. In der Realschule kann man die m_____ R_____ machen.

8. Auf dem G_____ schließt man die Schule mit dem A_____ ab und

   kann dann ein S_____ beginnen.

9. Aber auch mit einer guten mittleren Reife kann man weitermachen und die

   F_____ besuchen, die zum F_____ oder, nach

   einem weiteren Jahr, sogar zum Abitur führt.

10. Die Fachoberschulen unterscheiden sich durch die verschiedenen

    S_____.

11. In den G_____ wird innerhalb der Schule differenziert, weshalb

    man hier alle verschiedenen S_____ machen kann.

12. Alle U_____ und H_____, aber auch

    F_____ und F_____ zählen zum Tertiärbereich.

13. Von den Kritikern des deutschen Schulsystems gibt es die Forderung nach einer

    besseren pädagogischen A_____ der Lehrer, nach einer Abschaffung

    der D_____ der Schulen und nach kleineren K_____, damit mehr

    C_____ für alle Kinder besteht.

F Werbung und Konsum

F1 Wer die Wahl hat, hat die Qual!

1 a) Lesen Sie die kurzen Werbetexte und entscheiden Sie: Welche Anzeige passt? Kreuzen Sie an.

1. Fabian feiert nächsten Montag mit seiner Frau den zehnten Hochzeitstag. Er möchte sie in ein gutes Restaurant einladen und den Abend in einem stilvollen Rahmen feiern.

☐ a)

> Im Restaurant **Gourmet** haben Feinschmecker ihr Paradies gefunden. Wir verwöhnen Sie mit erlesenen Menus und ausgesuchten Weinen. Hervorragend geschultes Personal liest Ihnen jeden Wunsch von den Augen ab. Angenehmes Ambiente, weiches Licht und leise musikalische Untermalung lassen Ihren Abend bei uns zu einem unvergesslichen Erlebnis werden. Besuchen Sie das Drei-Sterne-Restaurant **Gourmet** im Herzen Salzburgs und überzeugen Sie sich selbst!
> Öffnungszeiten: Di.–So. 18 Uhr–1 Uhr
> Mo. Ruhetag
> Reservierungen unter 0435 / 392065
> oder www.das-gourmet.de

☒ b)

> Die exquisiten Speisen unseres Drei-Sterne-Kochs Jörg Matzner eröffnen Ihnen neue Welten des Geschmacks, jeweils abgerundet durch den passenden Wein. Erfreuen Sie sich an dem überwältigenden Ausblick über das Isartal, während Sie in unserem **Restaurant Bachsteiner** die neuesten Kompositionen der Küche probieren. Reservieren Sie für große Feste im Kreise Ihrer Familie und Freunde im großzügigen Saal, aber auch für ein Dinner zu zweit bei Kerzenlicht bieten sich unsere gemütlichen Räumlichkeiten an. Reservierungen werden erbeten unter 0800 / 704569.
> Durchgehend geöffnet von 12–24 Uhr

2. Hanne lebt in der Großstadt und braucht ein neues Auto, um zur Arbeit zu fahren, da die Verbindungen mit öffentlichen Verkehrsmitteln sehr schlecht sind. Das ist sehr ärgerlich, denn jeden Abend hat sie das Problem, in ihrer Straße nur sehr schwer einen Parkplatz zu finden.

☐ a)

> Der neue **Mifat S** – auf dieses Auto haben Sie gewartet! Klein und wendig im Verkehr, dennoch groß und geräumig durch die umklappbare Rückbank. Sicher und zuverlässig, dazu sparsam im Verbrauch. Ein Auto für jeden Tag. Weniger ist oft mehr.

☐ b)

> Sie wollen zeitloses Design?
> Modernste Technik?
> Sie haben höchste Ansprüche an die Innenausstattung?
>
> Wir haben bei unserem **Vandoo future** unser Bestes gegeben. Fordern Sie uns heraus, wir warten auf Sie.

3. Jens und Dörte sind überarbeitet und brauchen dringend ein Wochenende Erholung. Sie suchen nach einem Wellness-Hotel in einer schönen Umgebung, damit sie auch Spaziergänge und Wanderungen machen können.

☐ a)

Entspannen Sie in unserem Wellness-Ressort *ReVital* und spüren Sie, wie Ihre Kräfte zurückkehren.
Wir bieten luxuriöse Wellness-Anwendungen wie Ganzkörper-Massagen, Fußmassagen, Gesichtspflege und Anwendungen mit dem heißen Stein. Genießen Sie unsere Sauna-Landschaft und lassen Sie sich verwöhnen – eine Oase mitten in Stuttgart!
Wir freuen uns auf Ihren Besuch.

☐ b)

Nach einem langen Winter sollten Sie sich einen Kurzurlaub gönnen, um wieder Energie zu tanken und frisch und gestärkt in den Frühling zu gehen. Unser *Hotel Eichenhof* bietet sich dazu hervorragend an: Neben finnischer Sauna, türkischem Dampfbad und Erlebnisdusche sorgen auch ein exklusives Hallenbad und komfortable Erholungsräume für Entspannung. Dazu lädt sie unsere idyllische Lage in einer einzigartigen Landschaft zu unzähligen Aktivitäten an der frischen Luft ein.

4. Ehepaar Müller sucht für ihren 13-jährigen Sohn einen möglichst preiswerten Handy-vertrag. Er telefoniert wenig, ruft nur ab und zu zu Hause an, schreibt aber viele Textnachrichten und ist oft im Internet.

☐ a)

Mit dem **Fone classic** haben Sie alle Vorteile in der Hand. Für eine monatliche Grundgebühr von nur 29 Euro erhalten Sie eine Flatrate zum mobilen Surfen (4 GB) und eine SMS-Flat für alle Netze. Dazu kommt kostenloses Telefonieren zu einer Festnetz-Nummer Ihrer Wahl und eine Wochenend-Flatrate ins gesamte Festnetz. Unter der Woche telefonieren Sie für 0,19 Cent/Min. ins Festnetz und 0,9 Cent/Min. in andere Netze. **Keine Anschlussgebühr. Laufzeit zwei Jahre. Der perfekte Einsteiger-Tarif!**

☐ b)

Für einmalige 24 Euro Grundgebühr erhalten Sie einen supergünstigen Handyvertrag.
Der **Let's call** von *you too* macht's möglich: Sie telefonieren und simsen für nur 0,9 Cent/Min., egal ob Festnetz oder Netze mobiler Anbieter. Dazu erhalten Sie ein Volumen von 30 SMS pro Monat frei. Unser Internet-Flat-Angebot beläuft sich auf 1 GB. Keine Anschlussgebühr, Laufzeit zwei Jahre. Das ist der Tarif, auf den Sie schon lange warten!

1 b) Herr Müller hat die Werbetexte aus 1a), 4. gelesen, aber er kennt sich nicht so gut mit Handys aus. Deshalb schreibt er eine E-Mail an seinen Freund, um sich beraten zu lassen. Dieser antwortet ihm sofort. Ergänzen Sie die Lücken in den beiden E-Mails mit den Wörtern aus dem Schüttelkasten.

Lieber Jürgen,

ich bräuchte mal einen _Rat_ von dir. Du kennst dich doch mit Handys und

_____ (1.) viel besser aus als ich. Ich möchte einen Vertrag für unseren

Sohn _____ (2.). Er telefoniert _____ (3.), ruft höchstens mal

bei uns _____ (4.) an, aber _____ (5.) dauernd SMS mit seinen

Freunden. Das geht uns ganz schön auf die _____ (6.). Wenigstens haben wir

jetzt die _____ (7.), dass er beim gemeinsamen Essen das Handy

_____ (8.)! Dazu ist er noch viel im _____ (9.). Es gibt

doch diese ganzen Apps (das heißt so, oder?); die _____ (10.) er zum Chatten,

als _____ (11.) und zur _____ (12.) von Musikstücken im

Radio. Ich bin ja immer wieder _____ (13.), was alles schon möglich ist!

Könntest du dir im Internet mal die Verträge *Fone classic* und von *you too* den *Let's call*

_____ (14.) und mir kurz schreiben, was du für besser _____ (15.)?

Vielen Dank und liebe Grüße

Thorsten

kaum • zusätzlichen • ~~Rat~~ • Nerven • Wörterbuch • anschauen • bezahlt •
kostenlose • Verträgen • raten • daheim • kontrollieren • Regel • Internet •
Taschengeld • Erkennung • auskommen • abschließen • hältst • beginnt •
schreibt • ausschaltet • benützt • überrascht • verbraucht

Lieber Thorsten,

ich würde dir auf jeden Fall zum *Fone classic* _____ (16.). Wenn dein Sohn viel simst

und im Internet ist, sollte er mit diesen Flats gut _____ (17.). Ihr könnt

dann noch eure Telefonnummer von zu Hause als _____ (18.) Festnetz-

nummer angeben, dann gibt es wahrscheinlich gar keine _____ (19.)

Kosten mehr.

Bei dem anderen Vertrag _____ (20.) ihr bestimmt mehr und könnt es

nicht _____ (21.). Die freien 30 SMS hat er vermutlich schnell

_____ (22.), und nach 1 GB _____ (23.) das Internet

dann auch zu kosten. Das würde ich nicht machen, außer er muss es von seinem

_____ (24.) bezahlen! ☺

Liebe Grüße

Jürgen

F2 Ein Reklamationsschreiben

2 a) Jens Stadler hat ein Notebook gekauft, das aber nicht gut funktioniert.
Er schreibt an die Firma, bei der er das Notebook erworben hat.
Ergänzen Sie die Tabelle mit den wichtigsten Punkten des Schreibens.

Jens Stadler, Kampenweg 3, 83761 Markdorf
Tel.: 07482/39584

elektro tell
Am Brunnen 8
83752 Neustadt   Markdorf, 16.08.2013

Reklamation

Sehr geehrte Damen und Herren,

am 14.08.2013 habe ich in Ihrer Filiale Am Brunnen 8 ein Notebook gekauft. Im
Anhang sehen Sie die Kopie der Rechnung.
Leider musste ich zu Hause feststellen, dass das DVD-Laufwerk nicht funktioniert.
DVDs werden nicht erkannt und es lassen sich auch keine CDs brennen.
Auch eine Rücksetzung in den Werkszustand hat nichts bewirkt.
Das Gerät wurde von mir nach Vorschrift genutzt. Der Defekt wurde also nicht
durch falschen Gebrauch verursacht.
Falls ich kein neues, fehlerloses Gerät bekommen kann, wäre ich auch mit einer
Reparatur einverstanden. Sollte die Reparatur länger als fünf Arbeitstage dauern,
bitte ich um eine kurze Nachricht.
Wenn Sie weitere Informationen brauchen oder das Gerät nicht repariert werden
kann, rufen Sie mich bitte kurz an unter der oben angegebenen Nummer. Tagsüber
bin ich ab etwa 16 Uhr zu erreichen.
Bitte bestätigen Sie mir schriftlich bis zum 19.08.2013 den Eingang meiner
Reklamation.
Über eine schnelle Bearbeitung würde ich mich freuen.

Mit freundlichen Grüßen

Jens Stadler

1. Datum der Reklamation:	16.08.2013
2. Gegenstand der Reklamation:	
3. Kaufdatum und Kaufort:	
4. Defekt:	
5. versuchte Maßnahmen:	
6. gewünschte Maßnahmen:	
7. Fristen:	
8. Kontaktmöglichkeit:	
9. Anhang:	

2 b) Sie haben einen Fotoapparat gekauft und müssen ihn reklamieren.
Schreiben Sie nach den folgenden Leitpunkten eine Reklamation.

1. Datum der Reklamation:	02.03.2013
2. Gegenstand der Reklamation:	Digitalkamera
3. Kaufdatum und Kaufort:	01.03.2013, Medien&Markt, Ulm, Donaustraße 54
4. Defekt:	Akku defekt, lädt nicht auf
5. versuchte Maßnahmen:	stundenlanges Laden
6. gewünschte Maßnahmen:	neues Gerät oder Reparatur
7. Fristen:	Bestätigung des Eingangs der Reklamation bis 06.03.2013
8. Kontaktmöglichkeit:	telefonisch abends ab 18 Uhr unter *Telefonnummer*, tagsüber unter *Mobil-Nummer*
9. Anhang:	Kopie der Rechnung

Name
Straße & Hausnummer
Postleitzahl & Ort
Telefonnummer
Mobil-Nummer

Medien&Markt
Donaustraße 54
7236 Ulm

Ort, 02.03.2013

Sehr geehrte _____ ,

am _____

Im Anhang _____

Leider _____

Die Kamera _____

Auch _____

Das Gerät _____

Der Defekt _____

Falls _____

_____

Sollte die Reparatur _____

Wenn Sie _____

_____

Abends _____

tagsüber _____.

Bitte _____

Über _____

_____

_____

F3 Sichere Geldanlagen

3 a) In der Zeitschrift *Verstehen Sie Wirtschaft?* ist ein Artikel darüber erschienen, wie man sein Geld für die Altersvorsorge sicher anlegen kann. Lesen Sie und ordnen Sie zu: Welche Erklärung passt zu welchem Wort oder Ausdruck?

Wohin mit dem Geld?

Die Menschen sind verunsichert. In allen Medien liest und hört man, dass die staatliche Rente nicht ausreichen wird, um im Alter den gewohnten Lebensstandard halten zu können. Politiker warnen vor Altersarmut und raten zu privater Vorsorge. Doch auf der anderen Seite stehen Finanzkrisen, in deren Folge Banken zerschlagen werden und Aktienkurse abstürzen.

Wie soll man sein Vermögen anlegen, sodass es nicht nur sicher ist, sondern auch noch für einen arbeitet und man Gewinne erzielt?

Bringt man sein Geld zur Bank, bekommt man am Ende kaum mehr, als man einbezahlt hat, denn das klassische Sparbuch bietet nur sehr wenig Zinsen. Deutsche Staatsanleihen sollen zwar sicher sein, aber der Gewinn ist nicht attraktiv. Rechnet man auch noch mit der Inflation, kann man am Ende sogar verlieren.

Aktien dagegen sind chancenreich, doch riskant. In den vergangenen Jahren folgte einem starken Anstieg oft ein Crash. Und das Geld, von dem man im Alter leben muss, darf nicht verloren gehen.

Andererseits sind da die Länder mit starkem Wirtschaftswachstum. Mit Aktien von Unternehmen dieser sogenannten Schwellenländer konnte man in der Vergangenheit hohe Gewinne erzielen.

Was bleibt, ist die Überlegung, sich eine Immobilie zu kaufen. Sachwerte haben schon oft Krisenzeiten gut überstanden, das hat die Geschichte gezeigt. Doch die Preise in den großen Städten sind auf sehr hohem Niveau. Nicht jeder kann einen Kauf finanzieren.

Dann doch lieber in Gold investieren? Das Edelmetall war schon immer eine sichere Geldanlage, aber man kann sich nicht darauf verlassen, dass der Preis kontinuierlich steigt.

Welche Erklärung passt zu welchem Wort oder Ausdruck?

1.	2.	3.	4.	5.	6.	7.	8.	9.	10.	11.	12.
g)											

1. die staatliche Rente

2. die private Vorsorge

3. Banken werden zerschlagen

4. der Aktienkurs

5. das Sparbuch

6. der Zins

7. die Staatsanleihe

8. die Inflation

9. das Wirtschaftswachstum

10. das Unternehmen

11. der Sachwert

12. das Edelmetall

a) Eine Bank hat so viel Geld verloren, dass sie schließen muss.

b) Ich bringe mein Geld zur Bank. Dafür bezahlt sie mir einen Prozentanteil dieser Geldsumme.

c) Eine Organisation, die etwas produziert, verkauft oder anderen ihre Dienste anbietet.

d) Das Geld verliert an Wert, die Preise steigen.

e) Metalle wie Gold, Silber, Kupfer oder Platin.

f) Ein Objekt, das einen bestimmten Wert hat, zum Beispiel ein Haus oder ein Auto.

g) Regelmäßige Zahlungen vom Staat an Angestellte und Arbeiter, die wegen ihres Alters nicht mehr arbeiten.

h) Investoren kaufen Anteile an einem Unternehmen. Wenn es dem Unternehmen gut geht, sind die Anteile viel wert, wenn es ihm schlecht geht, sind sie wenig wert.

i) Ein Bankkonto, auf das ich nur Geld einzahle. Ich gebe der Bank das Geld, und dafür bezahlt mir die Bank Zinsen.

j) Die Ökonomie eines Landes wird immer besser und stärker.

k) Alle sollen rechtzeitig Geld sparen, von dem sie im Alter leben können, falls die staatliche Rente nicht reicht.

l) Ich leihe einem Staat mein Geld und dafür bekomme ich Zinsen.

3 b) Herrn Singer ist ein guter Vermögensberater empfohlen worden. Er schreibt ihm einen Brief und bittet ihn um einen ausführlichen Beratungstermin. Lesen Sie und ergänzen Sie die Lücken.

Staatsanleihen • besuchen • Gold • ~~Beratungstermin~~ • ratlos • verbleibe • Vermögensberater • vermeiden • kosten • Aktienmarkt • nutzen • Risiko • Kunden • vorgehen • aufzuteilen • Immobilie • Altersvorsorge • Büro • Hilfe • Bankkredit

Sehr geehrter Herr Winterhuber,

hiermit möchte ich Sie um einen _Beratungstermin_ bitten. Ein guter Freund hat Sie mir als einen außergewöhnlich guten _____ (1.) empfohlen.
Wie vermutlich bei den meisten Ihrer _____ (2.) geht es für mich und meine Frau auch um die private _____ (3.).
Auf dem _____ (4.) und bei _____ (5.) kennen wir uns nicht gut genug aus, um ein solches _____ (6.) einzugehen. Allerdings könnten wir uns gut vorstellen, unser Geld in _____ (7.) zu investieren. Auch der Kauf einer _____ (8.) sollte überlegt werden, aber nur, wenn wir Unterstützung durch einen _____ (9.) bekommen. Dieser darf uns dann natürlich nicht zu viel _____ (10.).
Ich denke, am besten wäre es, das Geld _____ (11.). Vor Kurzem habe ich gelesen, man solle nicht „alle Eier in einen Korb legen". Das halte ich für eine gute Idee, um Chancen _____ (12.) zu können, aber auch Risiken zu _____ (13.). Dabei brauche ich aber dringend _____ (14.)!
Sie sehen, wir sind etwas _____ (15.) und sehr unsicher, wie wir _____ (16.) sollen.
Wäre es Ihnen möglich, uns nächste Woche einmal zu _____ (17.)?
Gern könnten wir auch in Ihr _____ (18.) kommen, wenn Ihnen das lieber ist.
In der Hoffnung auf eine positive Antwort_____ (19.) ich

mit freundlichen Grüßen
David Singer

G Land und Leute

G1 Angebote in einem Reiseprospekt

**1 a) Die beiden Texte aus einem Reiseprospekt sind durcheinandergeraten.
Fünf Sätze sind vertauscht worden. Lesen Sie und markieren Sie die Sätze,
die zum jeweils anderen Text gehören.**

Die Perle Mexikos – die Halbinsel Yucatán

1. Entdecken Sie das Erbe der Maya auf einer Rundreise durch die malerische Halbinsel Yucatán.
2. Lassen Sie sich von schneeweißen Stränden verzaubern, schwimmen und schnorcheln Sie im türkisblauen Meer und erleben Sie die reiche Unterwasserwelt der Karibik.
3. Die Begegnung mit einer uralten Kultur und der mexikanischen Bevölkerung wird für Sie zu einem unvergesslichen Erlebnis.
4. <u>Unsere Touren dauern fünf bis sieben Tage und Sie sind in einer Gruppe von sechs Personen unterwegs.</u>
5. Sie landen in Cancún und übernehmen hier den Mietwagen.
6. Sie erholen sich im Hotel Litz, einem Fünf-Sterne-Hotel mit hoteleigenem Strand, von der Anreise. Am nächsten Tag findet ein Ausflug nach Tulúm statt.
7. Hier besichtigen Sie die eindrucksvolle Festung der Maya, die unmittelbar an der Meeresküste gelegen ist.
8. Auf dem Rückweg machen Sie Halt in Xel-Há und genießen den restlichen Tag in der wunderbaren Lagune, die sich mit ihrem kristallklaren Wasser hervorragend zum Schnorcheln eignet.
9. Abends entspannen Sie sich in der Sauna und springen, wenn Sie sehr mutig sind, zur Abkühlung ins Eisloch!
10. Am dritten Tag verlassen Sie Cancún und durchqueren das Landesinnere auf einer Straße durch den endlos erscheinenden Wald.

11. Sie machen einen Abstecher nach Ek' Balam, einer Stätte der Maya mitten im Urwald, die Nacht verbringen Sie in Valladolid.

12. Am Nachmittag kommen Sie in einer rustikalen Hütte mitten in der Wildnis an und kochen Ihr Essen am offenen Feuer.

13. Das nächste Ziel ist Mérida, die größte Stadt Yucatáns; die Pracht der kolonialen Gebäude und die romantischen Straßen lassen einen verstehen, weshalb Mérida das zweite Paris genannt wird.

14. Von Mérida aus besuchen Sie einen Tag später das Biosphärenreservat Ría Celestún.

15. Hier können Sie, nachdem Sie die Hunde versorgt haben, in der Sauna wieder zu Kräften kommen.

16. Auf dem Rückweg nach Cancún besuchen Sie Chichén Itzá, die berühmte Ruine der Maya, sie ist eine der bedeutendsten und größten auf Yucatán.

17. Diesmal ist das Highlight eine Übernachtung in einem Iglu, wo es nicht so kalt ist, wie Sie denken!

18. Eine Woche nach Ankunft besteigen Sie in Cancún wieder Ihr Flugzeug und haben eine unvergessliche Zeit verbracht!

Hundeschlittenabenteuer in Finnland

1. Wer einmal eine unserer Hundeschlittentouren durch die finnische Winterlandschaft gemacht hat, kommt immer wieder, getrieben von der Sehnsucht nach unberührter Natur, überwältigender Stille und dem Teamgefühl mit den Hunden.

2. Es ist ein einzigartiges Erlebnis, durch die verschneiten Wälder Finnlands zu sausen, am wärmenden Lagerfeuer zu pausieren und die Nächte in einsamen Hütten in der Wildnis zu verbringen.

3. Wir bieten eine einwöchige Rundreise mit einem Mietwagen an, Ihre Unterkünfte sind bereits gebucht.

4. Zu Beginn lernen Sie alles über die Hunde, den Schlitten und das Material.

5. Am Anfang steht eine kleinere Übungsfahrt, damit Sie sich mit der Fahrtechnik vertraut machen können.

6. Auch die Fütterung der Hunde gehört zu Ihren Aufgaben.

7. Ein besonderes Highlight verspricht das Schwimmen mit trainierten Delfinen.

8. Bereits am nächsten Tag geht es auf die erste Tagestour. Sie fahren über zugefrorene Seen und entdecken die Weite der finnischen Schneelandschaft.

9. Gehen Sie abends in den Gassen der Stadt spazieren, um ihren Charme zu entdecken.

10. Die nächste Nacht verbringen Sie nach einer weiteren Wintersafari in einer komfortablen Lodge.

11. Diese Lagunen- und Mangrovenlandschaft bietet unzähligen Wassertieren und Vögeln Heimat, so auch den rosaroten Flamingos.

12. Die beiden nächsten Tage geht es auf einer anderen Route wieder zurück in Richtung Ausgangspunkt.

13. Natürlich darf auch an diesem letzten Abend der Besuch der Sauna nicht fehlen.

14. Besteigen Sie die große Stufenpyramide und genießen Sie den überwältigenden Ausblick.

15. Der Abschied von den Hunden wird Ihnen schwerfallen, wenn Sie am nächsten Morgen zum Flughafen gebracht werden – doch Sie werden sicherlich wiederkommen!

Mexiko	4.				
Finnland	3.				

1 b) Jens Gardner interessiert sich für die Hundeschlittentour und schreibt eine E-Mail an den Veranstalter, da er noch einige Fragen hat. Lesen Sie seine Notizen und formulieren Sie einen Text für die E-Mail.

1. bester Zeitpunkt? Termine vorschlagen?
2. geeignete Kleidung, was mitnehmen?
3. Kosten mit Unterkunft, Verpflegung und Flug?
4. Strom und fließendes Wasser in der Hütte?
5. Fahrzeug für Flughafentransfer?
6. wie viele Hunde?
7. Hundeallergie – ein Problem?

Sehr geehrte Damen und Herren,

ich interessiere mich sehr für die von Ihnen angebotene Hundeschlittentour durch Finnland.

Nun hätte ich noch einige Fragen:

_____

_____

_____

_____

_____

_____

_____

_____

_____

_____

_____

_____

_____

_____

_____

_____

_____

_____

_____

Vielen Dank für die Beantwortung meiner Fragen.

Mit freundlichen Grüßen

Jens Gardner

2 a) Lesen Sie Marias Blog und kreuzen Sie an: Was ist richtig?

8. März

Willkommen zu meinem Blog *So-weit-die-Füße-tragen*! Genau vor einem Jahr habe ich
ein Buch gelesen, in dem eine Wanderung über acht Monate von Bayern bis an die
Ostsee beschrieben wird. Seitdem hat mich dieser Gedanke nicht mehr losgelassen.
Wie wunderbar muss es sein, jeden Morgen seinen Rucksack auf den Rücken zu
nehmen und zu wissen, dass man am Abend um viele Eindrücke reicher an einem Ort
sein wird, den man noch nicht kennt. Und wie würde es meinen Füßen dabei ergehen?
Würde meine Kondition ausreichen? Was für Gedanken würde mir die lange Zeit mit mir
selbst bringen?
Ich beschloss, einen Versuch zu wagen, und kündigte in meiner Arbeit. Nun bin ich frei
wie ein Vogel und könnte, wenn ich es wollte, ein Jahr lang durch Deutschland wandern.
Meine Reise beginnt in Passau, morgen früh. Ich bin aufgeregt!
Maria

9. März

Heute ist es so weit. Um halb elf bin ich in Passau angekommen und habe mir für
meinen Morgenkaffee ein hübsches Café in der Altstadt mit Blick auf die Donau gesucht.
Die Dreiflüssestadt ist wirklich beeindruckend. Die Ilz und der Inn fließen hier in die
Donau, was gut zu sehen ist, da das Wasser der Ilz schwarz ist, das der Donau blau und
das des Inns grün. Interessant ist, dass schließlich das grüne Wasser des Inns dominiert.
Wie viele alte Städte am Inn hat auch Passau ein südländisches Flair, was den italienischen
Baumeistern zu verdanken ist. Von den Flussufern steigen rechts und links Hügel an.

In der Altstadt ist der höchste Punkt der Domplatz, zu dem ich nun gehen werde. Den Stephansdom, den größten Barockdom nördlich der Alpen mit der größten Domorgel der Welt, muss ich gesehen haben!
Maria

10. März, am Morgen
Gestern bekam ich einen ersten Eindruck davon, wie schwer mein Rucksack eigentlich ist, obwohl ich nur 14 Kilogramm dabei habe! Nach meiner kleinen Stadtbesichtigung, nach der ich mir vorgenommen habe, unbedingt noch einmal mit Zeit nach Passau zu kommen, wanderte ich langsam aus der Stadt hinaus in Richtung Pandurensteig. Das rote Schild mit dem schwarzen Schwert wird mich die nächsten acht Tage begleiten, bis ich – hoffentlich – an der tschechischen Grenze in Waldmünchen angekommen bin! Gegen Abend erreichte ich Hals, einen kleinen Ort am Westufer der Ilz. Hier auf dem Marktplatz ist der richtige Anfang des Wanderwegs Pandurensteig, aber für mich war das Dorf erst einmal Endpunkt für einen aufregenden und anstrengenden Tag. Im Gasthaus „Zum Hirschen" gab's ein wohlverdientes Bier und einen unglaublich leckeren Schweinebraten und zum Glück auch noch ein freies Einzelzimmer mit einem wunderbar weichen Bett.
Jetzt sitze ich beim Frühstück und habe mir heute die Etappe bis Schloss Fürsteneck vorgenommen, wo ich heute Abend übernachten möchte. Auf geht's!
Maria

10. März, am Abend
Ich habe es tatsächlich geschafft! Nach 19 Kilometern – gefühlt 30 Kilometern ☹ – bin ich in der „Schlossgaststätte Fürsteneck" angekommen, müde, hungrig und durstig, aber glücklich. Der Weg die Ilz entlang war wunderschön, größtenteils auch sehr bequem zu gehen, nur das letzte Stück ist ein schmaler, steiniger Pfad zwischen Bahnlinie und Flussufer. Sehr idyllisch, nur war ich am Ende zu sehr mit meinen schmerzenden Füßen beschäftigt, um den schönen Ausblick auf die Flusslandschaft genießen zu können.
Den Rest blogge ich morgen, ich bin einfach zu müde!
Maria

	richtig
1. Maria hat ein Buch über eine achtmonatige Wanderung von Bayern bis an die Ostsee gelesen.	☒
Maria möchte in acht Monaten von Bayern bis an die Ostsee wandern.	☐
2. Sie hat Sorgen, dass der Rucksack auf den Rücken und das Gewicht auf Ihre Füße drückt.	☐
Sie freut sich darauf, vieles zu sehen, was neu für sie ist, und Zeit zum Nachdenken zu haben.	☐

richtig

3. Maria hat ihren Arbeitsplatz aufgegeben und hat sich ein Jahr ☐
   lang Zeit genommen, um durch Deutschland zu wandern.
   Maria wollte versuchen, ihre Arbeit zu kündigen und nach ☐
   Passau zu reisen.

4. Passau heißt Dreiflüssestadt, weil hier die Ilz und der Inn in ☐
   die Donau fließen.
   Passau heißt Dreiflüssestadt, weil es zwischen Ilz, Inn und ☐
   Donau liegt.

5. Die Passauer Altstadt liegt auf einem Berg, der steil zum ☐
   Flussufer abfällt.
   Der Domplatz liegt auf einem Hügel in der Altstadt. ☐

6. Der Stephansdom ist der größte Barockdom der Welt. ☐
   Der Stephansdom ist die größte Kirche im Stil des Barock, ☐
   die nördlich der Alpen gebaut wurde.

7. Der Wanderweg Pandurensteig ist durch ein kleines rotes Schild mit ☐
   schwarzem Schwert gekennzeichnet.
   Maria trägt ein kleines rotes Schild mit schwarzem Schwert mit sich, ☐
   damit allesehen können, dass sie die Erlaubnis hat, auf dem Pandurensteig
   zu wandern.

8. Gegen Abend beginnt Maria ihre Wanderung in Hals, wo am Marktplatz ☐
   der Pandurensteig anfängt.
   In einem kleinen Ort an der Ilz übernachtet Maria und will am nächsten ☐
   Morgen mit der Wanderung auf dem Pandurensteig beginnen.

9. Maria kommt sehr müde in der „Schlossgaststätte Fürsteneck" an, ☐
   weil sie an diesem Tag 30 Kilometer gewandert ist.
   Maria kommt nach 19 Kilometern Wanderung in der „Schlossgaststätte ☐
   Fürsteneck" an, aber sie fühlt sich, als wäre sie an diesem Tag 30 Kilometer
   gewandert.

10. Ihr Weg bis zum Schloss Fürsteneck war sehr angenehm, nur das letzte ☐
    Stück war ein sehr kleiner Weg mit vielen Steinen.
    Auf dem letzten Stück des Weges hatte Maria Steine in ihren Schuhen, ☐
    deshalb haben ihr die Füße wehgetan.

2 b) Maria hat sich ihren nächsten Blog-Eintrag nur auf einem Zettel notiert und ist in den Regen gekommen. Einige Wörter kann man nicht mehr erkennen. Ergänzen Sie diese Wörter.

Nach einem leckeren Frühstücksbuffet bin ich heute _____ (1.) um 8 Uhr

wieder losge_____ (2.). Ich _____ (3.) so gespannt, was der _____ (4.)

mir bringen würde! Meine _____ (5.) taten ein bisschen _____ (6.), _____ (7.)

langsam gewöhne ich mich daran. Übrigens habe ich ein paar Kosmetikartikel

im _____ (8.) der Schlossgaststätte gelassen – der nächste _____ (9.) wird

_____ (10.) freuen! Und mein _____ (11.) ist ein Kilo leichter! ☺

Heute _____ (12.) ich mir eine Strecke von 16 _____ (13.)

vorgenommen. Gleich nach _____ (14.) Fürsteneck ging ein schmaler

Wald_____ (15.) einen Bach _____ (16.), bis ich wieder auf die Ilz traf.

Diese Flussl_____ (17.) ist wildrom_____ (18.), es geht über

duftende Wie_____ (19.), weiche, kleine Fußw_____ (20.), aber auch zwischen

_____ (21.) durch, wo man aufpassen muss, dass man _____ (22.) über

die Baumwurzeln fällt. Und über_____ (23.) ist es so ru_____ (24.)!

Das Ilztal ist ein Natur_____gebiet (25.), ich habe schon viele seltene

V_____ (26.) beobachten können. Ich glaube sogar, dass ich auf einem

_____ (27.) über der Ilz einen Eisvogel gesehen _____ (28.), aber er war

zu weit _____ (29.), ich konnte _____ (30.) nicht genau erkennen. Bei all den

Pf_____ (31.) und Blumen um mich herum merke ich, wie _____ (32.)

ich mit Namen kenne. Das ist w_____h (33.) peinlich! In der nächsten größeren

_____ (34.) gehe ich in eine Bibliothek und _____aue (35.) nach, was _____ (36.)

hier alles gesehen habe!

Jetzt sitze ich_____ (37.) Biergarten an der Schrottenbaummühle, _____ (38.)

eine Apfelschorle und mache _____ (39.). Hier konnte ich auch schon

telefonisch mein Zimmer in Perlesreuth b_____ (40.), ein gutes Ziel für ...

Oh nein, es fängt an zu _____ (41.)!

H Aktuelles in Artikeln

H1 Hochwasser an Elbe und Donau – eine Meldung

1 a) Lesen Sie die Zeitungsmeldung und verbinden Sie die Wörter und Ausdrücke mit den passenden Erklärungen.

Aufgrund des Dauerregens der letzten Woche sind die Wasserstände an Elbe und Donau bedrohlich gestiegen. Am Morgen galt in Sachsen für die Pegel in Dresden und Schöna die zweithöchste Hochwasseralarmstufe. Zum Teil wurden Pegelstände von über sechs Metern gemessen. In der gesamten Region traten am Wochenende Flüsse und Bäche über die Ufer. Umweltminister Hans Gäbel machte sich vor Ort ein Bild von der Situation. Um die Stadt Magdeburg vor dem Elbehochwasser zu schützen, wurde das nahe gelegene Stauwehr geöffnet und ein Großteil des Wassers in einen Kanal geleitet.
Als Vorsichtsmaßnahme wurden Häuser in Flussnähe evakuiert. Die Feuerwehr ist an vielen Orten im Einsatz, um Wände aus Sandsäcken zu errichten. Falls die Situation eskalieren sollte, kommen auch Helfer der Bundeswehr zum Einsatz.
Die Suche nach dem 35-jährigen Mann, der vor drei Tagen bei Schönebeck in die Elbe gestürzt ist, wird inzwischen als aussichtslos angesehen. Die Wassermassen hatten ihn mit sich gerissen. Die Chancen, den Vermissten lebend zu finden, sind äußerst gering.
Regensburg ist bisher einer Flutkatastrophe knapp entkommen. Bis zum Morgen haben Freiwillige aus der Bevölkerung die Schutzwände mit Sandsäcken gestützt, doch die Hochwasserlage der Donau entwickelte sich weniger dramatisch als erwartet. Dennoch dürfen momentan keine Schiffe auf der Donau fahren.

Auch in Straubing und Deggendorf sind Hilfskräfte in Alarmbereitschaft, allerdings war bislang kein Einsatz notwendig.

In den nächsten Tagen wird erwartet, dass sich die Wetterlage ändert. Das Hoch „Oliver" gewinnt von Südwesten her allmählich an Einfluss und lässt im Laufe der Woche die Regenwolken abziehen.

1. der Dauerregen	a) Eine Mauer, hinter der das Wasser eines Flusses gesammelt wird, um die durchfließende Wassermenge regulieren zu können.
2. der Pegelstand	b) Eine Aktion, um sich vor einer eventuellen Gefahr zu schützen.
3. die Alarmstufe	c) Es regnet die ganze Zeit und hört nicht auf.
4. das Stauwehr	d) Etwas hat keine Chance auf Erfolg.
5. der Kanal	e) Damit wird gemessen, wie hoch das Wasser in Flüssen, Seen oder im Meer steht.
6. die Vorsichtsmaßnahme	f) Wenn Personen aktiv werden, um eine Aufgabe auszuführen.
7. die Feuerwehr	g) Bei einer Gefahr warten Menschen, die helfen können, bis sie gerufen werden.
8. der Einsatz	h) Ein von Menschen gebauter Transportweg für Wasser, wie ein Fluss oder Bach, aber mit festen Mauern an den Seiten.
9. der Sandsack	i) Eine Gruppe von Personen, die organisiert bei Feuer oder anderen Katastrophen hilft.
10. aussichtslos	j) Auf einer Skala gibt es mehrere Stufen, die sagen, wie groß eine Gefahr ist.
11. der Freiwillige	k) Eine große Tasche, die mit Sand gefüllt vor Wasser schützt.
12. die Alarmbereitschaft	l) Person, die hilft, ohne dass sie gefragt wurde und meist ohne dass sie dafür bezahlt wird.

1.	2.	3.	4.	5.	6.	7.	8.	9.	10.	11.	12.
c)											

1 b) Am Tag nach der Zeitungsmeldung über die Hochwassergefahr erscheint ein Leserbrief.

Sehr geehrte Redaktion,

im Zusammenhang mit Ihrer Meldung über die Hochwassergefahr der letzten Tage würde ich mir wünschen, in Ihrer Zeitung mehr über die Ursachen dieser zunehmenden Gefahr zu lesen. Dazu würden meiner Ansicht nach Interviews mit Experten gehören. Soweit ich weiß, sind die zunehmenden Hochwasser zum Teil von den Menschen gemacht. So werden Landschaften an Flussufern immer stärker bebaut, und die Erde hat keine Möglichkeit mehr, bei Überschwemmung das Wasser aufzunehmen. Auch wird für die Schifffahrt der natürliche Verlauf eines Flusses begrenzt und der Fluss strömt immer schneller durch die Kanäle. Nach einem Hochwasser hört man jedes Mal die guten Vorsätze und Pläne der Politiker, aber was passiert wirklich? In Zeiten des Klimawandels müssen wir zunehmend mit extremen Wetterlagen rechnen, es wäre wichtiger als jemals zuvor, Schutzmaßnahmen zu ergreifen!

Bitte berichten Sie in nächster Zeit ausführlich über diese Thematik!

Mit freundlichen Grüßen

Dr. Helga Winter

Beantworten Sie die folgenden Fragen:

1. Was möchte Helga Winter?

   _____

   _____

   _____

2. Was weiß sie über die Gründe?

   _____

3. Warum hat der Erdboden keine Möglichkeit mehr, bei Überschwemmung
   das Wasser aufzunehmen?

   _____

4. Warum fließt das Wasser in den Flüssen heute oft schneller als früher?

   _____

   _____

5. Was hört man nach einem Hochwasser von den Politikern?

   _____

6. Was müssen die Menschen in Zeiten des Klimawandels tun?

   _____

   _____

H2 Gewalt in Fußballstadien – ein Kommentar

2 a) Lesen Sie den Kommentar in einer großen Tageszeitung und kreuzen Sie an.

Rote Karte für Gewalt

Fußball ist ein spannender Sport. Die Nerven der Zuschauer und der Spieler sind angespannt. Die Zweikämpfe auf dem Spielfeld wecken starke Emotionen. Niemand hat etwas dagegen, wenn Fans ihre Mannschaft anfeuern und sie zum Sieg treiben wollen. Es ist auch in Ordnung, wenn das Publikum die Entscheidungen des Schiedsrichters laut kommentiert.

Doch was mittlerweile in deutschen Fußballstadien geschieht, ist außer Kontrolle geraten. In der Saison 2015/2016 ist die Zahl der verletzten Zuschauer innerhalb und außerhalb der Stadien massiv gestiegen. Die Angriffe auf Schiedsrichter nehmen ebenfalls zu. Auf dem Land und in kleineren Städten müssen zuweilen sogar Spiele abgebrochen werden. Erschreckend ist aber auch die Tatsache, dass Spieler aus dem Ausland immer häufiger beleidigt werden.

Es ist höchste Zeit, dass Vereine, Fanclubs, Psychologen, Politiker und Behörden Mittel und Wege finden, diese Fehlentwicklungen zu stoppen. Dazu gehören nicht nur schärfere Sicherheitskontrollen, sondern den Hooligans muss der Zugang ins Stadion für Jahre verboten bleiben. Viele von ihnen kommen nicht wegen des Sports. Sie suchen eine Möglichkeit, ihre Wut und Frustrationen abzubauen. Hier ist wieder die Politik gefragt, denn häufig sind dafür fehlende Perspektiven vieler junger Leute der Grund. Doch die werden durch Gewalt und Zerstörung auch nicht besser. Am Ende ist es der Steuerzahler, der für die Schäden aufkommen muss.

Auch die Fußballer selbst und ihre Trainer müssen handeln. Es geht zwar um viel Geld, aber wer fair spielt, ohne Aggression und böse Fouls, vermeidet die Eskalation beim Publikum. Dann wird Fußball für die Zuschauer wieder zum angstfreien Genuss.

Was ist richtig, was ist falsch?

		richtig	falsch
1.	Man kann verstehen, dass das Publikum und die Spieler bei einem aufregenden Fußballspiel nervös sind.	☒	☐
2.	Die Fußballspieler müssen das Publikum manchmal aufwecken.	☐	☐
3.	Es ist in Ordnung, wenn die Zuschauer Feuerwerkskörper ins Stadion mitbringen.	☐	☐
4.	Natürlich wollen die Zuschauer, dass ihr Fußballteam gewinnt.	☐	☐
5.	Wenn die Zuschauer denken, dass der Schiedsrichter falsch gepfiffen hat, ärgern sie sich.	☐	☐
6.	In den letzten Jahren sind besonders viele Zuschauer auf dem Weg zum Stadion oder auf dem Heimweg verletzt worden.	☐	☐
7.	Viele Fußballspieler greifen die Schiedsrichter an.	☐	☐
8.	Es passiert sogar, dass Fußballspieler, die aus einem anderen Land kommen, von den Fans beschimpft werden.	☐	☐
9.	Die Fußballorganisationen und die Politik sollen sich um dieses Problem kümmern.	☐	☐
10.	Hooligans sollen bei einem Spiel das Stadion verlassen müssen.	☐	☐
11.	Viele junge Leute sind wütend und frustriert, weil sie keine Arbeit und kein Geld haben.	☐	☐
12.	Alles, was kaputtgemacht wird, muss von den Steuern bezahlt werden.	☐	☐
13.	Die Fußballer sollen nicht so viel Geld verdienen, dann sind sie nicht so aggressiv.	☐	☐
14.	Die meisten Zuschauer wollen einfach ein Fußballspiel genießen und keine Angst haben, dass ihnen etwas passiert.	☐	☐

2 b) Lesen Sie hier den Kommentartext noch einmal. Markieren Sie die Buchstaben, die großgeschrieben werden müssen, trennen Sie die Wörter durch einen Strich und setzen Sie die fehlenden Satzzeichen ein.

Rote / Karte / für / Gewalt

Fußball / ist / ein / spannender / Sport. Dienervenderzuschauer
undderspielersindangespanntdiezweikämpfeaufdemspiel
feldweckenstarkeemotionenniemandhatetwasdagegenwenn
fansihremannschaftanfeuernundsiezumsiegtreibenwollen
auchistesinordnungwenndaspublikumdieentscheidungen
desschiedsrichterslautkommentiertdochwasmittlerweilein
deutschenfußballstadiengeschiehtistaußerkontrollegeraten
indersaison20152016istdiezahlderverletztenzuschauerinner
halbundaußerhalbderstadienmassivgestiegendieangriffeauf
schiedsrichternehmenebenfallszuaufdemlandundinkleineren
städtenmüssensogarspieleabgebrochenwerdenerschrecken
distaberauchdietatsachedassspieleraudemauslandimmer
häufigerbeleidigtwerdenesisthöchstezeitdassvereinefanclub
spsychologenpolitikerundbehördenmittelundwegefindendies
efehlentwicklungenzustoppendazugehörennichtnurschärfere
sicherheitskontrollensonderndenhooligansmussderzugangins
stadionfürjahreverbotenbleibenvielevonihnenkommennicht
wegendessportssiesucheneinemöglichkeitihrewutundfrustra
tionenabzubauenhieristwiederdiepolitikgefragtdennhäufig
sinddafürfehlendeperspektivenvielerjungerleutedergrund
dochdiewerdendurchgewaltundzerstörungauchnichtbesser
amendeistesdersteuerzahlerderfürdieschädenaufkommen
mussauchdieFußballerselbstundihretrainermüssenhandeln
esgehtzwarumvielgeldaberwerfairspieltohneaggression
undbösefoulsvermeidetdieeskalationimpublikumdannwird
fußballfürdiezuschauerwiederzumangstfreiengenuss

H3 Haustierhaltung in Deutschland – eine Umfrage

3 a) Lesen Sie die Ergebnisse der Umfrage und ergänzen Sie die Tabelle.

Die Liebe der Deutschen zu ihren Haustieren ist groß. Das sieht man allein an den vielen
Tiersendungen im Fernsehprogramm und an der Werbung für Hunde- und Katzenfutter.
Der Hund gilt als bester Freund des Menschen und treuer Begleiter. Deshalb erstaunt
es, dass inzwischen die Haushalte mit einer Katze deutlich überwiegen. Laut einer
repräsentativen Umfrage des Meinungsforschungsinstituts *stat.com* Ende letzten Jahres,
bei der über 10 000 Personen in ganz Deutschland befragt wurden, werden in 57 %
der deutschen Haushalte Tiere gehalten. Ein Viertel der Deutschen hat einen Hund,
28 % jedoch eine Katze. Als Grund dafür wurde die unkomplizierte Haltung und
Unabhängigkeit der Katzen angegeben, die mehr Freiheit für den Besitzer verspricht als
die Haltung eines Hundes. Eine sehr viel geringere Prozentzahl an Haushalten hat sich
Vögel, Fische oder Kleintiere wie Hamster oder Mäuse angeschafft. Kleintiere sind
bei 11 %, Haushalte mit Aquarien kommen auf 5 %. Der Anteil an Vögeln ist stark
zurückgegangen. Nur noch 3 % der Deutschen halten sich einen Vogel.
Die Zahl der Liebhaber exotischer Tiere bleibt dagegen stabil bei knapp einem Prozent.
Hier spielen sicherlich die strengen Gesetze und die Meldepflicht für giftige Tiere
eine Rolle.
Außerdem ist die Haustierhaltung ein nicht unwichtiger Wirtschaftsfaktor. Die Kosten
für Futter, Tierarzt und Zusatzartikel wie Halsbänder, Körbe und Kleidung beliefen
sich in Deutschland im vergangenen Jahr auf rund vier Milliarden Euro, drei Milliarden
davon betreffen das Futter. In ganz Europa werden allein für Tierfutter 14 Milliarden
Euro ausgegeben.

Im gesamteuropäischen Vergleich rangiert Deutschland an dritter Stelle. Die meisten Haustiere gibt es in Italien, hier handelt es sich überwiegend um Vögel. An zweiter Stelle kommt Frankreich, gleich gefolgt von Deutschland. In beiden Ländern sind die Katzen in der Überzahl. Lediglich in Spanien, das sich nach Großbritannien auf dem fünften Platz befindet, übertrifft die Zahl der Hunde deutlich die der Katzen.

1. Anzahl befragter Personen:	*10 000*
2. Anteil der deutschen Haushalte mit Haustieren:	
3. Anteil der Katzenbesitzer:	
4. Anteil der Hundebesitzer:	
5. Grund für die Präferenz von Katzen:	
6. Anteil der Kleintierbesitzer:	
7. Anteil der Fischbesitzer:	
8. Anteil der Vogelbesitzer:	
9. Anteil der Besitzer exotischer Tiere:	
10. Grund für geringe Anzahl an exotischen Tieren:	
11. Kostenpunkte für Haustierbesitz in Deutschland und Gesamtsumme:	
12. davon Futterkosten:	
13. Futterkosten in ganz Europa:	
14. Länderranking der meisten Haushalte mit Tieren in Europa:	
15. Auf Platz 1 stehen die Hundehalter in:	
16. Auf Platz 1 stehen die Katzenhalter in:	
17. Auf Platz 1 stehen die Halter von Vögeln in:	

3 b) **Als Reaktion auf die Umfrage gab es einige Leserbriefe an die Redaktion. Lesen Sie die Ausschnitte und entscheiden Sie: Wer sieht die Haltung von Haustieren positiv, wer negativ?**

☺   ☹

1. Meiner Ansicht nach sind diese Zahlen als Zeichen für die Naturverbundenheit vieler Deutscher zu werten.   ☒   ☐

2. Viele Menschen leiden unter Einsamkeit und sind froh, wenn ihnen ein Hund oder eine Katze Gesellschaft leistet.   ☐   ☐

3. In anderen Teilen der Welt leiden die Menschen Hunger, und in Europa werden 14 Milliarden Euro an Haustiere verfüttert.   ☐   ☐

4. Wie sonst sollen die Kinder in Großstädten, fern von jeder Natur, lernen, mit Tieren umzugehen?   ☐   ☐

5. Ich finde es unmöglich, dass es Privathaushalten noch immer erlaubt ist, exotische Tiere zu halten!   ☐   ☐

6. Anstatt ihre Katze mit „Luxus-Snacks" und ihren Hund mit „Premium Dog Care" zu füttern, sollten sich die Europäer darum kümmern, was ihr Lebensstil im Rest der Welt verursacht, wo bald viele Tierarten für immer verschwunden sein werden.   ☐   ☐

7. Die Katzenbesitzer in Deutschland sollten sich fragen, was ihre Lieblinge in der heimischen Vogelwelt verursachen.   ☐   ☐

8. Es gibt inzwischen sogar Hunde, die regelmäßig in der Pädagogik, Sozialarbeit oder in Altersheimen eingesetzt werden.   ☐   ☐

9. Häufig sind Menschen, deren Lebensmittelpunkt Tiere sind, einfach unfähig zu normalen sozialen Kontakten.   ☐   ☐

10. Es ist ein wichtiger Lernprozess für Kinder, die Verantwortung für ein Haustier zu übernehmen.   ☐   ☐

I Autoren und Texte

I1 Leben einer Schriftstellerin

1 a) Lesen Sie die Teile dieser (erfundenen) Biographie und ordnen Sie sie in der richtigen Reihenfolge.

1.	2.	3.	4.	5.	6.	7.	8.
e)							

a) ☐

Im selben Jahr, in dem ihr großer Roman *Lebenszeit* erschien, lernte sie den Jazzmusiker Willi Siebert kennen. Die leidenschaftliche Beziehung dieser beiden Künstler war nie einfach, besonders seit 1933, als Goldberg von den Nationalsozialisten auf die Liste der unerwünschten Schriftsteller gesetzt wurde, und auch die Jazzmusik keine öffentlichen Erfolge mehr feiern konnte.

b) ☐

Nach ihrem Studium zog Helene Goldberg nach Berlin, das zu dieser Zeit die Stadt mit den meisten Zeitschriften, Verlagen, Theatern und Cafés war. Sie ging ganz im Lebensgefühl der Goldenen Zwanzigerjahre auf. Begegnungen mit anderen Literaten wie dem Geschwisterpaar Erika und Klaus Mann oder Ernst Toller übten großen Einfluss auf ihre späteren Werke aus. 1927 wurde ihr erstes Drama *Die Violinistin* uraufgeführt und wurde ein großer Bühnenerfolg.

c) ☐

Am 4. Oktober 1963 starb Helene Goldberg in Frankfurt, wo sie ihre letzten Lebensjahre verbracht hatte.

d) ☐

Daraufhin gab Helene Goldberg ihre Stelle als Sekretärin in der Humboldt-Universität auf und lebte als freie Schriftstellerin. Gleichzeitig erhielt sie einen Vertrag des Verlags *Express*, der in schneller Folge drei Romane von ihr veröffentlichte: 1928 *Wolkenfetzen*, 1929 *Straßenkinder* und 1930 *Lebenszeit*.

e) ☐ 1

Helene Goldberg wurde am 18. Februar 1902 als dritte Tochter eines Lehrers in Nürnberg geboren. Sie studierte in München Germanistik und Theaterwissenschaft. In dieser Zeit schrieb sie bereits erste Gedichte und Kurzgeschichten, die aber unveröffentlicht blieben.

f) ☐

Nach ihrer Rückkehr aus der Schweiz nach dem Krieg war das Paar in großen finanziellen Schwierigkeiten und eröffnete in Berlin einen Tabakwarenladen. Dann gelang es Goldberg, wieder Kontakte zu mehreren Verlagen zu knüpfen. 1951 erschien ihr Gedichtband *Blätter der Trauer*. In diesen Jahren konnte auch Willi Siebert wieder an seine früheren Erfolge als Jazzmusiker anknüpfen und Goldberg verdiente ihren Lebensunterhalt bis zum Ende ihres Lebens als Schriftstellerin.

g) ☐

In der modernen Welt der Berliner Künstler und Avantgardisten hatten diese Romane großen Erfolg, in der eher konservativen Welt jedoch fand ihr sozialkritischer und pazifistischer Ansatz keinen Beifall.

h) ☐

Sieberts Wunsch, in die USA zu emigrieren, wollte Goldberg nicht folgen, da sie dort als deutsche Schriftstellerin keine Zukunft für sich sah. Nach vielen Auseinandersetzungen einigte sich das Paar 1935 auf einen gemeinsamen Neuanfang in der Schweiz, in Zürich. Dort lebte Goldberg bis 1947 und schrieb für die Zeitung *Literatur heute*.

1 b) Ergänzen Sie die wichtigsten Daten von Helene Goldbergs Leben.

1. Geburtsdatum:	*18. Februar 1902*
2. Studienfächer:	
3. Wohnort nach dem Studium:	
4. wichtige Begegnungen:	
5. erster literarischer Erfolg:	
6. weitere Veröffentlichungen in den 20er-Jahren:	
7. Reaktion auf die Romane:	
8. Lebenspartner:	
9. Emigration:	
10. Zeitpunkt der Rückkehr nach Deutschland:	
11. Konsequenz aus finanziellen Schwierigkeiten:	
12. Grund für erneuten Erfolg:	
13. letzter Wohnort:	
14. Todesdatum:	

12 Verschiedene Textsorten

2 a) Hier finden Sie die Bezeichnungen und die Erklärungen für einige Textsorten. Was gehört zusammen?

1. Kriminalgeschichte (Krimi)

2. Fabel

3. Märchen

4. Reportage

5. Liebesroman

a) Geschichten, die oft Kindern erzählt werden, meist frei erfunden; handeln von Wundern oder Phantasiewesen.

b) Ein Journalist berichtet über ein Geschehen oder Personen und ihr Schicksal und beschreibt auch seine eigenen Eindrücke.

c) Geschichte, die ein Verbrechen und seine Aufklärung zum Inhalt hat.

d) Eine lange fiktive Geschichte, die von Liebe handelt.

e) Kurze Geschichte, in der Tiere oder Pflanzen wie Menschen sprechen und handeln; am Ende steht eine Lehre.

2 b) Lesen Sie auf den folgenden beiden Seiten die verschiedenen Ausschnitte aus Texten und ordnen Sie in der Tabelle die Textsorte zu.

Krimi	Fabel	Märchen	Reportage	Liebesroman
3.				

1.	Als die Turmuhr zwölf Mal geschlagen hatte, wachte Hans von einem hellen Schein in seinem Zimmer auf. Ein kleines altes Männlein stand neben seinem Bett und sagte: „Weil du meinem Reh im Wald heute geholfen hast, hast du nun drei Wünsche frei!" Zuerst wollte es Hans gar nicht glauben, aber das Männlein versicherte ihm immer wieder, dass alles in Erfüllung ginge, was er sich nun wünschen würde. Hans überlegte kurz, dann meinte er: „Ich hätte gern ein Säcklein, in dem ich immer genug Gold finde, um keinen Hunger zu leiden." Kaum hatte er das ausgesprochen, schon landete mit einem hellen Klang ein kleiner Beutel aus feinem Leder auf seinem Kissen. Wenn er ihn schüttelte, klapperten darin ein paar Goldstücke. Hans lachte vor Vergnügen und wünschte sich nun: „Und ich möchte ein wunderschönes, starkes Pferd, das mich überall hinträgt, wohin ich reisen will!" Er hörte draußen unter seinem Fenster ein Schnauben und Wiehern, und als er es öffnete, stand dort auf der Wiese das edelste Pferd, das er jemals gesehen hatte. Es hatte ein schwarzes glänzendes Fell, eine schimmernde lange Mähne und war wunderschön gebaut. Da drehte sich Hans zu dem Männlein um und jubelte: „Und jetzt brauche ich noch ein vornehmes Gewand, damit mich alle Leute bewundern und sich alle Mädchen nach mir umdrehen!" Es rauschte durch die Luft, und schon lagen auf dem Bett eine prächtige Jacke, eine Hose aus edlem Stoff, Stiefel und Gürtel aus feinstem Leder und ein Hut, wie ihn die vornehmsten Herren trugen. Hans tanzte vor Freude durchs Zimmer. Doch dann fiel sein Blick auf das Männlein. Das stand ganz traurig da, schüttelte seinen Kopf und sagte leise: „Hans, Hans, hast du das Wünschen nicht gelernt? Das wirst du noch einmal bitter bereuen ..." Kaum hatte er diese Worte ausgesprochen, verschwand der helle Schein aus dem Zimmer und es war dunkel wie zuvor. Auch das Männlein war nicht mehr da. Schnell schaute Hans aus dem Fenster. Das Pferd stand immer noch auf der Wiese und fraß friedlich das Gras, und auf dem Bett lagen der Beutel mit Gold und die Kleider. Doch die warnenden Worte des Männleins wollten Hans nicht mehr aus dem Kopf gehen.

2.	Als es an der Tür klingelte, sprang sie auf und rannte die Treppe hinunter. Sie riss die Tür auf. Der Nachbarsjunge. „Was willst du denn hier?", fuhr sie ihn an. Eingeschüchtert stotterte er: „Meine Mama hat mich geschickt, ob ihr ein paar Eier habt!" Schon tat es ihr leid, dass sie so unfreundlich gewesen war, und als sie ihm die Eier gab, drückte sie ihm noch eine Tafel Schokolade in die Hand. „Hier, schau, das ist für dich." „Oh danke!", strahlte der kleine Kerl und zog fröhlich hopsend mit seiner Beute ab. Thea rief ihm nach: „Pass auf die Eier auf, Karl!" und musste schon wieder lächeln. Doch als sie die Tür hinter sich schloss, kamen all die dunklen Gedanken zurück. „Wo bleibt er nur? Warum schreibt er nicht, warum ruft er nicht an?" Erschöpft setzte sie sich auf die unterste Treppenstufe, senkte den Kopf auf ihre Knie und murmelte vor sich hin: „Ben, Ben, so komm doch! Ich warte so auf dich!"

3. Vorsichtig zog er den schweren Samtvorhang zur Seite. Nichts. Und doch schien es ihm, als hinge noch ein zarter Geruch in der Luft, ein Geruch, bei dem es ihm kalt den Rücken hinunterlief. „Alles Einbildung", schalt er sich, „allmählich wirst du noch verrückt, Alter!" Doch als er sich umdrehte und dabei sein Blick kurz den Spiegel streifte, sah er eben noch, wie sich im Spiegelbild die Zimmertür schloss, völlig geräuschlos. Mit ein paar Sprüngen war er bei der Tür und riss sie auf. In diesem Moment flackerte die Lampe im Flur kurz und erlosch. Alles war dunkel. Walter zog sich in sein Zimmer zurück, machte die Tür zu und lehnte sich schwer atmend dagegen. Sie war hier gewesen. Sie hatte einen Schlüssel zu seinem Zimmer. Verdammt, was wollte sie? Warum zeigte sie sich nicht? Sorgsam drehte er den Schlüssel im Schloss mehrmals herum und schob den Stuhl so unter die Klinke, dass sie sich nicht herunterdrücken ließ. Dann fiel er schwer auf sein Bett, verschränkte seine Arme unter dem Kopf und starrte zur Decke.

4. Die Katze schlich am Rande des Sees hin und her und blickte freundlich die Entenmutter an, die dort mit ihren drei Küken schwamm. „Sei gegrüßt!", maunzte sie mit zuckersüßer Stimme. „Das ist doch viel Arbeit, den lieben Kleinen den ganzen Tag das Schwimmen beibringen zu wollen! Sicherlich willst du dich doch einmal ausruhen. Komm ans Ufer und leg dich hin. Ich passe inzwischen auf deine netten Kinderchen auf!"
Erschrocken quakte die Ente: „Das werde ich niemals tun! Wir kommen heraus und du wirst meine Kinder auffressen! Das hat schon meine Mutter zu mir gesagt – trau niemals einer Katze!" „Ach Unsinn", erwiderte die Katze, „eine Katze, die keinen Hunger hat, ist das friedlichste Tier der Welt. Sieh nur, wie dick mein Bauch heute ist! So viel habe ich schon gefressen!" Sie legte sich auf den Rücken und streckte der Entenmutter ihren Bauch entgegen, der tatsächlich ein wenig rundlich war.

5. In einem klapprigen alten Auto, das alle paar Meter eine Fehlzündung hat, werde ich durch die schlammigen Straßen der Vororte gefahren. Ich kurbele das Fenster herunter, doch ein übler Geruch schlägt mir entgegen. Auch mein Fahrer bedeutet mir, das Fenster schnell wieder zu schließen. In gebrochenem Englisch versucht er, mir zu erklären, dass es gefährlich sei, in solch einer Gegend das Fenster zu öffnen. Tatsächlich erblicke ich kaum einen Menschen vor den Hütten. Diese sind aus den verschiedensten Materialien zusammengebaut und die Fenster mit Tüchern oder Plastik verhängt. Ein paar Kinder hocken am Straßenrand und spielen im Wasser einer Pfütze. Als sie das Auto erblicken, springen sie auf und verschwinden in einer der Hütten. Beim Vorbeifahren sehe ich, wie sie neugierig, aber vorsichtig den Stoff vor dem Fenster zur Seite schieben und dem Auto hinterhersehen.

2 c) In dem folgenden Text sind für ein paar Wörter zwei Möglichkeiten gegeben. Suchen Sie das passende aus und markieren Sie es.

Das (regelmäßige)/unregelmäßige Rattern des Zuges machte ihn schläfrig. Er blickte/

winkte aus dem Fenster, doch die abwechslungsreiche/eintönige Landschaft bot auch

keine Ablenkung. Langsam öffnete/schloss er die Augen und durch seinen Kopf zogen/

rannten all die bunten Fotos/Bilder der nächsten/letzten Tage. Hilda im Wasser, wie

sie neben ihm auftaucht und ihn anlacht, silbern glitzernde/klingende Wassertropfen

an ihren Wimpern/Ohren und auf ihren Lippen. Hilda und er im heißen/kalten Sand,

ganz der Sonnenwärme hingegeben, die noch im heftigen/kühlen Abendwind heiß

auf der Haut zu spüren/ertragen ist. Abendliche Wanderungen/Spaziergänge dem

Sonnenuntergang entgegen, beim wilden/leisen Rauschen des Meeres. Hilda und er im

Café, in hitziger/ruhiger Diskussion, wie sie wild mit beiden Händen/Armen gestikuliert

und sich dabei immer wieder mit den Fingern durch die braunen Haarsträhnen/Locken

fährt. Und dann Hilda am Fenster des Flugzeugs/Zuges, ihr tränennasses Gesicht an

der Fensterscheibe, wie sie noch ein Lächeln versucht/verliert, bis der anfahrende Zug/

Bus ihm auch dieses letzte Bild von ihr entreißt. Bei diesem Gedanken spürte er wieder/

plötzlich den Schmerz im Fuß/Magen, der ihn seit gestern kaum einmal getroffen/

verlassen hatte.

Lösungen

A1

A1a) Beziehung: 1., 4.
Reisebegleitung: 2., 7.
Partner/in für Freizeitaktivitäten: 5., 6.
Hilfe bei der Betreuung von Tieren/
Kindern: 3., 8.

A1b) richtig: 1. b) 2. a) 3. a) 4. b) 5. a) 6. b)
7. a) 8.b)

A1c) a) 2. b) 6. c) 1. d) 4.

a) Hallo Reisender, darf ich mitkommen? Ich
habe selbst schon viele Reisen unternommen,
meist mit Rucksack und Schlafsack, und kenne
das Problem der Einsamkeit ... Vielleicht treffen
wir uns erst einmal zu einem Bier in Berlin und
besprechen alles Weitere? ...

b) Grüß dich, ich gehe auch gern und oft in die
Berge. Der Traum von einer Bergbesteigung im
Himalaya ist mir ebenfalls nicht fremd. Bisher
konnte ich mit jedem gut mithalten – wollen
wir beide es mal zusammen probieren? Melde
dich bei mir! ...

c) Liebe Tierfreundin, deine Anzeige hat mir sehr
gut gefallen. Auch ich bin von den Menschen
schon oft enttäuscht worden, aber von Tieren
noch nie! Gerne würde ich dich und deine Tierfamilie einmal kennenlernen. Ich bin 45 Jahre
alt und lebe auf einem kleinen Bauernhof. Zu
mir gehören eine Katze, ein Hund und zehn
Hühner. Vielleicht passen wir ganz gut
zusammen? Ich freue mich auf eine positive
Antwort! Herzliche Grüße ...

d) Verehrter Unbekannter, gern würde ich Ihre
Bekanntschaft machen. Ich denke, dass ich alle
von Ihnen genannten Voraussetzungen erfülle
und wahrscheinlich sogar Ihre Erwartungen
übertreffen werde. Meinerseits hoffe ich, dass
mir die Beschreibung Ihres Aussehens, Ihrer
finanziellen Möglichkeiten und Ihres beruflichen Erfolgs nicht zu viel versprochen hat und
Sie mich bei einer persönlichen Begegnung
überzeugen. Mit erwartungsvollen Grüßen ...

A2

A2a) 1. g) 2. e) 3. a) 4. f) 5. d) 6. c) 7. b)

A2b) 1. Passt nicht, weil der Stil nicht angemessen
und eine Skatrunde keine Entschuldigung
ist. Es ist eine Beleidigung, wenn Herr
Faulhaber lieber Karten spielt, als zum
50. Geburtstag zu kommen.
2. Passt
3. Passt nicht, weil die Kinder nicht mit ein-
geladen sind.

A2c) 1. d) 2. f) 3. a) 4. b) 5. c) 6. g) 7. e)

A2d) 1. Passt nicht, weil der Stil zu förmlich ist.
Das Schreiben ist sehr kühl.
2. Passt nicht, weil der Stil zu locker ist. Der
Hinweis auf andere Frauen ist eine
Beleidigung für Hanna. Auch das Vorhaben,
ein paar Kasten Bier zu leeren, klingt nicht
gut. Essen aus der Tiefkühltruhe ist nicht
das, was die Gastgeber freut. Wenigstens
sollte Anita fragen, ob sie den Bruder von
Klaus mitbringen können.
3. Passt

A2e) 1. richtig: a), c) falsch: b), d)
2. richtig: b) falsch: a), c), d)
3. richtig: b), d) falsch: a), c)

A3

A3a) Martha beschreibt den Mann Nummer 2.
Christine beschreibt den Mann Nummer 5.

A3b) 1. e) 2. j) 3. h) 4. i) 5. a) 6. l) 7. b) 8. c)
9. k) 10. d) 11. g) 12. f)

B Wohnliches

B1

B1a)

1. 1. Universität 2. Bushaltestelle 3. Lage
4. Parkplätze 5. Fahrradstellplätze 6. Quadratmeter 7. Waschbecken 8. Anschlüsse
9. Fernsehen 10. Zugang 11. Küche
12. Sanitärraum 13. Sauberkeit 14. Treppen
15. Reinigungspersonal 16. Waschraum
17. Sportgeräten 18. Veranstaltungen
19. Preis 20. Größe 21. Heizung 22. Erfahrungen 23. Kompetenz 24. Freizeitgestaltung

2. 1. Betreutes 2. Wohnraum 3. Unterstützung
4. selbstbestimmtes 5. Verfügung
6. Bewohner 7. Pflegefachkräften
8. Psychiatrie 9. Betreuung 10. Einzelzimmer
11. Dusche 12. Erdgeschoss 13. Fernsehraum
14. Gemeinschaftsküche 15. Garten
16. Rollstuhlfahrer 17. Aufteilung
18. Schwerpunkt 19. behandeln 20. gesundheitlich 21. Tagesablauf 22. Schritt
23. Angebot 24. Jugendlichen 25. Schulabschluss 26. Ausbildung 27. Erlernen
28. Voraussetzung 29. miteinander
30. Respekt 31. Sozialamt

3. 1. Mehrgenerationenhaus 2. Großfamilie
3. Verwandtschaft 4. Nationalität 5. Parteien
6. Wohneinheiten 7. Gemeinschaftsräume
8. Aktionsprogramm 9. Kursangeboten
10. Veranstaltungen 11. Ausflügen
12. Miteinander 13. Kinderbetreuung
14. Hilfe 15. Einsamkeit 16. Unterstützung
17. Alleinerziehende 18. Zeit 19. Lebenserfahrung 20. Zusammenleben 21. Treffen
22. Konflikte 23. Mietpreis 24. Kosten
25. Projekte

B1b)
1. Studentenwohnheim
1. zwischen Stadtpark und Bahnhof; ruhig;
   in kleiner Nebenstraße
2. 15 Gehminuten
3. wenige Parkplätze für Autos; viele
   Fahrradstellplätze
4. zwischen 12 und 18 Quadratmeter
5. Waschbecken; Anschlüsse für Telefon,
   Rundfunk und Fernsehen; kostenloser
   Zugang zum Internet

6. Küche, Aufenthaltsraum, Sanitärraum
7. Fitnessraum (Sportgeräte und zwei Tischtennisplatten), Partyraum
8. zwischen 175 und 218 Euro; Strom, Wasser,
   Heizung und Anschlüsse inbegriffen

2. Betreutes Wohnen
1. Behinderte, Wohnungslose, Jugendliche in
   schwierigen Lebenssituationen,
   nbegleitete minderjährige Flüchtlinge
2. Sozialpädagogen, Pflegefachkräfte,
   Suchthilfe, Psychiatrie, medizinische
   Betreuung
3. möblierte Einzelzimmer mit Dusche und
   WC, pro Stockwerk eine
   Gemeinschaftsküche und ein
   Aufenthaltsraum, Fitnessraum, Musikraum,
   Werkstatt, Café, Fernsehraum, Garten
4. gesundheitliche, psychische und soziale
   Stabilisierung der Bewohner
5. Unterstützung bei Schulabschluss,
   Ausbildung oder geregelter Arbeit
6. Erlernen der deutschen Sprache als Voraussetzung für Schule und Ausbildung;
   friedliches und tolerantes Miteinander;
   Respekt vor der Kultur der anderen
7. Sozialamt

3. Mehrgenerationenhaus:
1. wie in traditioneller Großfamilie, aber
   Verwandtschaft oder Nationalität spielen
   keine Rolle
2. 18
3. 28 bis 130 Quadratmeter
4. Kursangebote, kulturelle Veranstaltungen,
   Feste, Ausflüge
5. Kinderbetreuung, Gartenpflege, Nachhilfe,
   Hilfe bei Reparaturen, Einkaufshilfe
6. Besprechung wichtiger Punkte bei einem
   Treffen alle 14 Tage
7. acht Euro pro Quadratmeter, zusätzlich
   Kosten für gemeinsame Projekte

B2

B2a) 1. i) 2. c) 3. f) 4. k) 5. a) 6. e) 7. g) 8. h)
9. b) 10. d) 11. j) 12. l)

B2b) Sehr geehrte Frau Hinterseher,
ich danke Ihnen, dass Sie sich nun um alles
kümmern werden. Natürlich verstehe ich, dass
es Situationen im Leben gibt, in denen andere
Dinge wichtiger sind. Dennoch hoffe ich, dass
auch Sie meine Situation verstehen.
Bitte nennen Sie mir doch einen Tag in der
nächsten Woche, an dem der Spezialist für die
Schimmelbehandlung kommen kann und mein
Badezimmer anschaut. Ein Termin nächste
Woche wäre gut, weil ich Urlaub habe und zu
Hause sein werde.
Wären Sie einverstanden, wenn ich den
Teppichboden im Wohnzimmer selbst
verlegen lasse und Ihnen die Rechnung
schicke? Dann müssten Sie sich um nichts
weiter kümmern.
Selbstverständlich werde ich Ihnen die Miete
ohne Kürzung überweisen, wenn alle Punkte
wie besprochen im Laufe der nächsten zwei
Wochen erledigt werden.
Nun bedanke ich mich und hoffe, dass wir
weiterhin ein gutes Mietverhältnis haben
werden.
Mit freundlichen Grüßen
Ernst-August Bauer

B3

B3a) richtig: 2., 5., 8., 9., 10., 13., 14.
falsch: 1., 3., 4., 6., 7., 11., 12., 15., 16.

B3b) 1. e) 2. j) 3. a) 4. g) 5. l) 6. c) 7. k) 8. b)
9. d) 10. h) 11. f) 12. i) 13. n) 14. m)

C Hobby und Spiel

C1

C1a) richtig: 2., 3., 6., 7., 8., 10., 11.

C1b) Sehr geehrte Jury,
mit Freude habe ich vor einigen Wochen Ihre
Ausschreibung zum Fotowettbewerb *Natur
und wir* gelesen. Die Zielsetzung des Fotowettbewerbs *Natur und wir* passte genau zum
Lehrplan meiner Arbeitsgruppe Fotografie. Mit
meiner Arbeitsgruppe Fotografie möchte ich
nicht nur das Wissen meiner Schüler/-innen
zur Fotografie fördern, sondern meinen
Schülerinnen und Schülern auch genaues und
aufmerksames Sehen näherbringen. Zum
genauen und aufmerksamen Sehen bietet sich
natürlich in erster Linie die Natur unserer
näheren Umgebung an.
Meine Arbeitsgruppe war sofort bereit, sich an
dem Fotowettbewerb zu beteiligen. In einem
ersten Arbeitsschritt hat meine Arbeitsgruppe
geplant, verschiedene Themenbereiche zu
verteilen. Diese verschiedenen Themenbereiche waren zum Beispiel Wald, Feld, Garten,
Wasser oder Luft.
Die Schüler/-innen haben sich mögliche Motive
überlegt. Gemeinsam haben wir die beste
Technik zur Realisierung der Motive erarbeitet.
Schließlich hatten die Schüler/-innen zwei
Wochen Zeit für die Fotografien. Die letzten
Stunden vor der Einsendung haben wir
gemeinsam die Fotografien angeschaut,
beurteilt, Verbesserungsvorschläge gemacht
und sie am Computer vorsichtig bearbeitet.
Die Ergebnisse haben mich positiv überrascht,
weil die Ergebnisse zum Teil wirklich
beeindruckend waren. Die Auswahl der Motive
hat mir besonders gefallen. Durch die Auswahl
der Motive hat man gesehen, wie wirkungsvoll
Ihre Zielsetzung war, weil die Schüler/
-innen plötzlich auf Kleinigkeiten in ihrer
Umgebung geachtet haben.
Ich möchte mich nun ganz herzlich für diesen
wunderbaren Fotowettbewerb bedanken und
hoffe natürlich, dass sich vielleicht jemand aus
meiner Arbeitsgruppe unter den Gewinnern
dieses Fotowettbewerbs befindet.
Mit freundlichen Grüßen
Franz Altmann

C1c) Sehr geehrte Jury,

mit Freude habe ich vor einigen Wochen Ihre Ausschreibung zum Fotowettbewerb *Natur und wir* gelesen. Dessen Zielsetzung passte genau zum Lehrplan meiner Arbeitsgruppe Fotografie. Mit ihr möchte ich nicht nur das Wissen meiner Schüler/-innen zur Fotografie fördern, sondern ihnen auch genaues und aufmerksames Sehen näherbringen. Dazu bietet sich natürlich in erster Linie die Natur unserer näheren Umgebung an.

Meine Arbeitsgruppe war sofort bereit, sich an dem Fotowettbewerb zu beteiligen. In einem ersten Arbeitsschritt hat sie geplant, verschiedene Themenbereiche zu verteilen. Diese waren zum Beispiel Wald, Feld, Garten, Wasser oder Luft.

Die Schüler/-innen haben sich mögliche Motive überlegt. Gemeinsam haben wir die beste Technik zur deren Realisierung erarbeitet. Schließlich hatten die Schüler/-innen zwei Wochen Zeit für die Fotografien. Die letzten Stunden vor der Einsendung haben wir sie gemeinsam angeschaut, beurteilt, Verbesserungsvorschläge gemacht und sie am Computer vorsichtig bearbeitet.

Die Ergebnisse haben mich positiv überrascht, weil sie zum Teil wirklich beeindruckend waren. Die Auswahl der Motive hat mir besonders gefallen. Dadurch hat man gesehen, wie wirkungsvoll Ihre Zielsetzung war, weil die Schüler/-innen plötzlich auf Kleinigkeiten in ihrer Umgebung geachtet haben.

Ich möchte mich nun ganz herzlich für diesen wunderbaren Fotowettbewerb bedanken und hoffe natürlich, dass sich vielleicht jemand aus meiner Arbeitsgruppe unter seinen Gewinnern befindet.

Mit freundlichen Grüßen
Franz Altmann

C2

C2a) 1. Es gibt acht Bauern, zwei Türme, zwei Springer, zwei Läufer, eine Dame und einen König.
2. Der mit den weißen Figuren.
3. Sie geht horizontal, vertikal oder diagonal über das Spielfeld, aber sie darf keine Figur überspringen.
4. Er darf andere Figuren überspringen.
5. Auf alle benachbarten freien Felder, auf denen er nicht von einer gegnerischen Figur geschlagen werden kann.

6. Er darf nie zurückgehen.
7. Man darf ihn gegen eine geschlagene andere Spielfigur austauschen.
8. Wenn ein Spieler seine Figur auf ein Feld bewegt, auf dem eine gegnerische Figur steht, wird sie aus dem Spielfeld entfernt.
9. Dann hat er das Spiel verloren. Sein König kann keinen Zug mehr tun, ohne geschlagen zu werden.

C2b) richtig: 2., 3., 5., 6., 9., 11.

D Film und Fernsehen

D1

D1a) 1. e) 2. a) 3. i) 4. f) 5. k) 6. c) 7. b) 8. j) 9. g) 10. d) 11. h)

D1b) Die erste Folge der Serie *Von der Spree ins Allgäu* hat die beste Sendezeit am Samstag absolut verdient. Wenzel Hagenstedt als Matze spielt mit viel Witz und Charme den Großstädter, der sich auf das Abenteuer Landleben einlässt. Sehr komisch sind die Szenen im Club, wo Babsi, mit ihrer Natürlichkeit und etwas naiven Bewunderung für die coolen Berliner, auf Matze trifft. Die beiden verlieben sich ineinander und sind sehr bemüht, einander zu verstehen, was nicht immer gelingt. Auch die Nebenrollen sind gut besetzt. Endlich wieder eine Serie, auf die man sich eine ganze Woche lang freuen kann! (Katrin S., Kempten)

Man hätte es wissen müssen. Wenn vorher schon so viel Wind um etwas gemacht wird wie um die neue Samstagabend-Serie, dann kann das Ergebnis gar nicht gut sein. Aber dass es so schlecht wird, hätte ich nicht gedacht. Ein Klischee reiht sich an das andere. Wie stellt sich der Nicht-Berliner die Berliner Szene vor? Sicherlich nicht so, wie sie wirklich ist. Auch Babsis Rolle des naiven Mädchens vom Land bleibt schwach, da entwickelt sich keine lebendige Persönlichkeit. Die einzigen überzeugenden Dialoge sind die, in denen Berlinerisch auf Allgäuerisch trifft, aber das Repertoire ist begrenzt, mehr als drei Folgen lassen sich damit nicht schreiben. Eine Chance gebe ich der Serie nächsten Samstag noch, aber wenn es so bleibt, ist es reine Zeitverschwendung, den Fernseher einzuschalten. (Marcel W., Potsdam)

D2

D2a) 1. d) 2. h) 3. a) 4. e) 5. k) 6. g) 7. b) 8. i)
9. c) 10. m) 11. l) 12. j) 13. f)

D2b) 1. Er ist zu einem der erfolgreichsten Filme
aller Zeiten geworden.
2. Driss, ein junger Arbeitsloser senegalesischer
Abstammung aus der Banlieue von Paris wird
von einem reichen adligen Unternehmer, der
seit einem Unfall beim Paragliding vom Hals
abwärts gelähmt ist, als Pfleger engagiert.
3. Weil ihm eine Unterschrift, die zeigt, dass er
sich um Arbeit bemüht hat, genügt hätte,
um weiterhin Arbeitslosenhilfe zu
bekommen.
4. Angestellte, die ihn voller Taktgefühl und
Mitleid verwöhnen.
5. Driss hat beschlossen, dass Philippe nicht
mit dem großen Auto für Behinderte,
sondern durchaus mit seinem Maserati
transportiert werden könne.
6. Er lernt Verantwortung zu übernehmen und
pausenlos für jemanden da zu sein.
7. Auf der einen Seite Bildung, Kunst, Kultur,
Leben im Luxus, auf der anderen Seite
Wohnblock, Sozialhilfe, Kleinkriminalität
und Recht des Stärkeren.
8. Der Zuschauer hält den Atem an, wenn
Driss sich gerade wieder fröhlich und
unbekümmert über Grenzen hinwegsetzt.
Dann folgt das Aufatmen, wenn klar wird,
wie positiv diese Tabubrüche dennoch
meist bei Philippe ankommen.
9. Es gelingt ihm, nur durch Mimik und Stimme
zu überzeugen.

D3

D3a) 1. Welt 2. besaß 3. Ehe 4. übernehmen
5. besuchte 6. engagierte 7. Leidenschaft
8. Taschengeld 9. Platzanweiserin 10. Einsatz
11. wiederholen 12. heiratete 13. erwarteten
14. später 15. Auseinandersetzungen 16. verließ 17. Gymnasium 18. begann 19. gelang
20. zog 21. erhielt 22. Abschluss 23. Rollen
24. folgte 25. Dreharbeiten 26. zukünftigen
27. gemeinsamer 28. Sprung 29. folgenden
30. ausgezeichnet 31. Verfilmung 32. verbrachte 33. deutschsprachigen 34. Gastspiele
35. Unfall 36. plötzliches

D3b) richtig: 1., 3., 4., 7., 8., 10., 12., 13. 14.
falsch: 2., 5., 6., 9., 11., 15.

E   **Erziehung und Lernen**

E1

E1a) 1. e) 2. a) 3. g) 4. d) 5. h) 6. b) 7. f) 8. c)

E1b) 1. e) 2. g) 3. a) 4. j) 5. b) 6. c) 7. i) 8. d)
9. f) 10. h)

E2

E2a) 1. c) 2. g) 3. a) 4. d) 5. i) 6. b) 7. e) 8. h) 9. f)

E2b) 1. Angst oder Unlust
2. meist genügend; wenn nicht ausreichend,
intensivere Behandlung beim Therapeuten
3. frei von Ablenkungen, keine visuellen oder
auditiven Einflüsse; Ruhe im Arbeitszimmer;
gutes Licht, bequemer Stuhl, genug
Sauerstoff
4. regelmäßige Pausen, genug Schlaf; Gesund-
heit, keine emotionalen Probleme, richtige
Nahrung (Glucose), regelmäßiger Sport
5. klare Planung; Ideen, die nicht zur Aufgabe
gehören, notieren; bei einer Aufgabe nicht
an eine andere denken
6. kleine realistische Ziele setzen; Lob oder
Belohnung, wenn man sie erreicht hat
7. Taktik der kleinen Schritte; sich Fehler
erlauben

E3

E3a) 1. Die Bildung ist in Deutschland Aufgabe
der einzelnen Bundesländer.
2. Das Bildungssystem besteht aus vier
Stufen und beginnt mit der Grundschule.
3. Jedes Kind muss in Deutschland neun oder
zehn Jahre lang die Schule besuchen.
4. In der Grundschule werden die Kinder
meistens von nur einem Lehrer unterrichtet.
5. Wenn ein Kind die Hauptschule besucht hat,
geht es mit dem Hauptschulabschluss in
einen praxisorientierten Beruf.
6. Mit einer guten mittleren Reife gibt es die
Möglichkeit, über die Fachoberschule auch
zu einem Studium zu kommen.
7. Die Sekundarstufe II sind die letzten zwei
oder drei Jahre des Gymnasiums.
8. Die Gesamtschulen bieten die Möglichkeit,
alle Schulabschlüsse an einer Schule zu
machen.

9. Es gibt viel Kritik am deutschen Schulsystem, weil es keine Chancengleichheit für alle Kinder gibt.

E3b) 1. Die Bildung ist in Deutschland Aufgabe der Länderregierungen.
2. Der Bildungsweg der Kinder beginnt nach dem Kindergarten mit der Grundschule.
3. Für jedes Kind besteht in Deutschland Schulpflicht für neun oder zehn Jahre.
4. In den ersten beiden Schuljahren bekommen die Kinder keine Noten, sondern Beurteilungen ihrer Leistung.
5. In der dritten Klasse gibt es mit Englisch den ersten Fremdsprachenunterricht.
6. Für mehr praxisorientierte Berufe ist der Hauptschulabschluss vorgesehen.
7. In der Realschule kann man die mittlere Reife machen.
8. Auf dem Gymnasium schließt man die Schule mit dem Abitur ab und kann dann ein Studium beginnen.
9. Aber auch mit einer guten mittleren Reife kann man weitermachen und die Fachoberschule besuchen, die zum Fachabitur oder, nach einem weiteren Jahr, sogar zum Abitur führt.
10. Die Fachoberschulen unterscheiden sich durch die verschiedenen Schwerpunktfächer.
11. In den Gesamtschulen wird innerhalb der Schule differenziert, weshalb man hier alle verschiedenen Schulabschlüsse machen kann.
12. Alle Universitäten und Hochschulen, aber auch Fachhochschulen und Fachakademien zählen zum Tertiärbereich.
13. Von den Kritikern des deutschen Schulsystems gibt es die Forderung nach einer besseren pädagogischen Ausbildung der Lehrer, nach einer Abschaffung der Dreiteilung der Schulen und nach kleineren Klassen, damit mehr Chancengleichheit für alle Kinder besteht.

F   Werbung und Konsum

F1

F1a) 1. b) 2. a) 3. b) 4. a)

F1b) 1. Verträgen 2. abschließen 3. kaum 4. daheim 5. schreibt 6. Nerven 7. Regel 8. ausschaltet 9. Internet 10. benützt 11. Wörterbuch 12. Erkennung 13. überrascht 14. anschauen 15. hältst 16. raten 17. auskommen 18. kostenlose 19. zusätzlichen 20. bezahlt 21. kontrollieren 22. verbraucht 23. beginnt 24. Taschengeld

F2

F2a) 2. Notebook
3. 14.08.2013, elektro tell Neustadt, Am Brunnen 8
4. DVD-Laufwerk funktioniert nicht, erkennt keine DVDs, CDs können nicht gebrannt werden
5. Rücksetzung in den Werkszustand
6. neues Gerät oder Reparatur
7. Bestätigung des Eingangs der Reklamation bis 19.08.2013
8. telefonisch unter 07482/39584 ab 16 Uhr
9. Kopie der Rechnung

F2b) Sehr geehrte Damen und Herren,
am 02.03.2013 habe ich in Ihrer Filiale Donaustraße 54 eine Digitalkamera gekauft.
Im Anhang sehen Sie die Kopie der Rechnung.
Leider musste ich zu Hause feststellen, dass der Akku defekt ist.
Die Kamera lässt sich nicht aufladen.
Auch stundenlanges Laden hat nichts bewirkt.
Das Gerät wurde von mir nach Vorschrift genutzt.
Der Defekt wurde also nicht durch falschen Gebrauch verursacht.
Falls ich kein neues fehlerloses Gerät bekommen kann, wäre ich auch mit einer Reparatur einverstanden.
Sollte die Reparatur länger als fünf Arbeitstage dauern, bitte ich um eine kurze Nachricht.
Wenn Sie weitere Informationen brauchen oder das Gerät nicht repariert werden kann, rufen Sie mich bitte kurz an unter der oben angegebenen Nummer.
Abends bin ich ab etwa 18 Uhr zu erreichen, *tagsüber* unter der Mobil-Nummer.

Bitte bestätigen Sie mir schriftlich bis zum 06.03.2013 den Eingang meiner Reklamation. *Über* eine schnelle Bearbeitung würde ich mich freuen.

Mit freundlichen Grüßen
[Name]

F3

F3a) 1. g) 2. k) 3. a) 4. h) 5. i) 6. b) 7. l) 8. d) 9. j) 10. c) 11. f) 12. e)

F3b) 1. Vermögensberater 2. Kunden 3. Altersvorsorge 4. Aktienmarkt 5. Staatsanleihen 6. Risiko 7. Gold 8. Immobilie 9. Bankkredit 10. kosten 11. aufzuteilen 12. nutzen 13. vermeiden 14. Hilfe 15. ratlos 16. vorgehen 17. besuchen 18. Büro 19. verbleibe

G   **Land und Leute**

G1

G1a) *Die Perle Mexikos – die Halbinsel Yucatán*
Zum anderen Text gehören: 4., 9., 12., 15., 17.
Hundeschlittenabenteuer in Finnland
Zum anderen Text gehören: 3., 7., 9., 11., 14.

G1b) 1. Wann ist der beste Zeitpunkt für so eine / für diese Reise? Könnten Sie mir einige / ein paar Termine vorschlagen?
2. Was für eine Kleidung ist (am besten) geeignet? Was soll ich (am besten) mitnehmen?
3. Wie viel kostet / Wie hoch sind die Kosten für die Tour mit Unterkunft, Verpflegung und Flug?
4. Gibt es in der Hütte auch Strom und fließendes Wasser?
5. Stellen Sie ein Fahrzeug für den Flughafentransfer zur Verfügung? / Gibt es ein Fahrzeug für den Flughafentransfer?
6. Wie viele Hunde ziehen einen Schlitten?
7. Leider habe ich eine Hundeallergie. Ist das ein Problem?

G2

G2a) 2. Sie freut sich darauf, vieles zu sehen, was neu für sie ist, und Zeit zum Nachdenken zu haben.
3. Maria hat ihren Arbeitsplatz aufgegeben und hat sich ein Jahr lang Zeit genommen, um durch Deutschland zu wandern.
4. Passau heißt Dreiflüssestadt, weil hier die Ilz und der Inn in die Donau fließen.
5. Der Domplatz liegt auf einem Hügel in der Altstadt.
6. Der Stephansdom ist die größte Kirche im Stil des Barock, die nördlich der Alpen gebaut wurde.
7. Der Wanderweg Pandurensteig ist durch ein kleines rotes Schild mit schwarzem Schwert gekennzeichnet.
8. In einem kleinen Ort an der Ilz übernachtet Maria und will am nächsten Morgen mit der Wanderung auf dem Pandurensteig beginnen.
9. Maria kommt nach 19 Kilometern Wanderung in der „Schlossgaststätte Fürsteneck" an, aber sie fühlt sich, als wäre sie an diesem Tag 30 Kilometer gewandert.
10. Ihr Weg bis zum Schloss Fürsteneck war sehr angenehm, nur das letzte Stück war ein sehr kleiner Weg mit vielen Steinen.

G2b) 1. Morgen 2. losgewandert 3. war 4. Tag 5. Füße 6. weh 7. aber 8. Bad 9. Gast 10. sich 11. Rucksack 12. habe 13. Kilometern 14. Schloss 15. Waldpfad 16. entlang 17. Flusslandschaft 18. wildromantisch 19. Wiesen 20. Fußwege 21. Bäumen 22. nicht 23. überall 24. ruhig 25. Naturschutzgebiet 26. Vögel 27. Baum 28. habe 29. weg 30. ihn 31. Pflanzen 32. wenige 33. wirklich 34. Stadt 35. schaue 36. ich 37. im 38. trinke 39. Pause 40. bestellen 41. regnen

H Aktuelles in Artikeln

H1

H1a) 1. c) 2. e) 3. j) 4. a) 5. h) 6. b) 7. i) 8. f)
9. k) 10. d) 11. l) 12. g)

H1b) 1. Sie wünscht sich, dass die Zeitung mehr über die zunehmende Hochwassergefahr berichtet und Interviews mit Experten bringt.
2. Zum Teil sind die zunehmenden Hochwasser von den Menschen gemacht.
3. Weil die Landschaften an Flussufern immer stärker bebaut werden.
4. Weil für die Schifffahrt der natürlich Verlauf eines Flusses begrenzt wird und Kanäle gebaut werden.
5. Sie haben gute Vorsätze und Pläne.
6. Sie müssen zunehmend mit extremen Wetterlagen rechnen und Schutzmaßnahmen ergreifen.

H2

H2a) richtig: 1., 4., 5., 8., 9., 11., 12., 14.
falsch: 2., 3., 6., 7., 10., 13.

H2b) Rote|Karte|für|Gewalt

Fußball|ist|ein|spannender|Sport.|Die|Nerven|der|Zuschauer|
und|der|Spieler|sind|angespannt.|Die|Zweikämpfe|auf|dem|
Spielfeld|wecken|starke|Emotionen.|Niemand|hat|etwas|
dagegen,|wenn|Fans|ihre|Mannschaft|anfeuern|und|sie|zum|
Sieg|treiben|wollen.|Es|ist|auch|in|Ordnung,|wenn|das|
Publikum|die|Entscheidungen|des|Schiedsrichters|laut|
kommentiert.|Doch|was|mittlerweile|in|deutschen|Fußballstadien|
geschieht,|ist|außer|Kontrolle|geraten.|In|der|Saison|2015/2016|
ist|die|Zahl|der|verletzten|Zuschauer|innerhalb|und|außerhalb|
der|Stadien|massiv|gestiegen.|Die|Angriffe|auf|Schiedsrichter|
nehmen|ebenfalls|zu.|Auf|dem|Land|und|in|kleineren|Städten|
müssen|zuweilen|sogar|Spiele|abgebrochen|werden.|Erschreckend|
ist|aber|auch|die|Tatsache,|dass|Spieler|aus|dem|Ausland|immer|
häufiger|beleidigt|werden.|Es|ist|höchste|Zeit,|dass|Vereine,|Fanclubs,|
Psychologen,|Politiker|und|Behörden|Mittel|und|Wege|finden,|diese|
Fehlentwicklungen|zu|stoppen.|Dazu|gehören|nicht|nur|schärfere|
Sicherheitskontrollen,|sondern|den|Hooligans|muss|der|Zugang|ins|
Stadion|für|Jahre|verboten|bleiben.|Viele|von|ihnen|kommen|nicht|
wegen|des|Sports.|Sie|suchen|eine|Möglichkeit,|ihre|Wut|und|
Frustrationen|abzubauen.|Hier|ist|wieder|die|Politik|gefragt,|denn|
häufig|sind|dafür|fehlende|Perspektiven|vieler|junger|Leute|der|
Grund.|Doch|die|werden|durch|Gewalt|und|Zerstörung|auch|nicht|
besser.|Am|Ende|ist|es|der|Steuerzahler,|der|für|die|Schäden|
aufkommen|muss.|Auch|die|Fußballer|selbst|und|ihre|Trainer|müssen|
handeln.|Es|geht|zwar|um|viel|Geld,|aber|wer|fair|spielt,|ohne|
Aggression|und|böse|Fouls,|vermeidet|die|Eskalation|beim|Publikum.|
Dann|wird|Fußball|für|die|Zuschauer|wieder|zum|angstfreien|Genuss.

H3

H3a) 1. 10 000 2. 57 % 3. 28 % 4. 25 %
5. unkomplizierte Haltung, Unabhängigkeit,
mehr Freiheit für den Besitzer
6. 11 % 7. 5 % 8. 3 % 9. 1 %
10. strenge Auflagen, Meldepflicht für
giftige Tiere 11. Futter, Tierarzt, Zusatzartikel: 4 Milliarden Euro 12. 3 Milliarden
Euro 13. 14 Milliarden Euro 14. Italien,
Frankreich, Deutschland, Großbritannien,
Spanien 15. Spanien 16. Frankreich und
Deutschland 17. Italien

H3b) positiv: 1., 2., 4., 8., 10.

negativ: 3., 5., 6., 7., 9.

I **Autoren und Texte**

I1

I1a) 1. e) 2. b) 3. d) 4. g) 5. a) 6. h) 7. f) 8. c)

I1b) 1. 18. Februar 1902 2. Germanistik und
Theaterwissenschaft 3. Berlin 4. Erika und
Klaus Mann, Ernst Toller 5. 1927 Drama
Die Violinistin 6. 1928 *Wolkenfetzen,* 1929
Straßenkinder und 1930 *Lebenszeit* 7. großer
Erfolg bei Berliner Künstlern und Avantgardisten, kein Beifall in der konservativen Welt
8. Jazzmusiker Willi Siebert 9. 1935
in die Schweiz, nach Zürich 10. 1947
11. Eröffnung eines Tabakwarenladens
12. Veröffentlichung des Gedichtbands
Blätter der Trauer 1951 13. Frankfurt
14. 4. Oktober 1963

I2

I2a) 1. c) 2. e) 3. a) 4. b) 5. d)

I2b) Krimi 3. Fabel 4. Märchen 1. Reportage
5. Liebesroman 2.

I2c) Das <u>regelmäßige</u> Rattern des Zuges machte
ihn schläfrig. Er <u>blickte</u> aus dem Fenster, doch
die <u>eintönige</u> Landschaft bot auch keine
Ablenkung. Langsam <u>schloss</u> er die Augen
und durch seinen Kopf <u>zogen</u> all die bunten
<u>Bilder</u> der letzten Tage. Hilda im Wasser, wie
sie neben ihm auftaucht und ihn anlacht,
silbern <u>glitzernde</u> Wassertropfen an ihren
<u>Wimpern</u> und auf ihren Lippen. Hilda und er
im <u>heißen</u> Sand, ganz der Sonnenwärme
hingegeben, die noch im <u>kühlen</u> Abendwind
heiß auf der Haut zu <u>spüren</u> ist. Abendliche
<u>Spaziergänge</u> dem Sonnenuntergang
entgegen, beim <u>leisen</u> Rauschen des Meeres.
Hilda und er im Café, in <u>hitziger</u> Diskussion,
wie sie wild mit beiden <u>Händen</u> gestikuliert
und sich dabei immer wieder mit den Fingern
durch die braunen <u>Locken</u> fährt. Und dann
Hilda am Fenster des <u>Zuges,</u> ihr tränennasses
Gesicht an der Fensterscheibe, wie sie noch
ein Lächeln <u>versucht,</u> bis der anfahrende <u>Zug</u>
ihm auch dieses letzte Bild von ihr <u>entreißt.</u>
Bei diesem Gedanken spürte er <u>wieder</u> den
Schmerz im <u>Magen,</u> der ihn seit gestern kaum
einmal <u>verlassen</u> hatte.